Experience Chinese

Intermediate Course I

体验 汉语
中级教程 1

Tiyan Hanyu Zhongji Jiaocheng

主 编 姜丽萍
编 者 张 军 李俊芬

高等教育出版社·北京
HIGHER EDUCATION PRESS BEIJING

图书在版编目（CIP）数据

体验汉语中级教程 . 1／姜丽萍主编 . -- 北京：高
等教育出版社，2012.10（2014.9重印）
ISBN 978-7-04-036182-7

Ⅰ . ①体… Ⅱ . ①姜… Ⅲ . ①汉语－对外汉语教学－
高等学校－教材 Ⅳ . ①H195.4

中国版本图书馆 CIP 数据核字（2012）第 221040 号

| 策划编辑 | 梁　宇 | 责任编辑 | 王　群 | 封面设计 | 彩奇风 | 版式设计 | 刘　艳 |
| 责任绘图 | 彩奇风 | 责任校对 | 王　群 | 责任印制 | 张泽业 | | |

出版发行	高等教育出版社	咨询电话	400-810-0598
社　　址	北京市西城区德外大街4号	网　　址	http://www.hep.edu.cn
邮政编码	100120		http://www.hep.com.cn
印　　刷	北京佳信达欣艺术印刷有限公司	网上订购	http://www.landraco.com
开　　本	889mm×1194mm 1/16		http://www.landraco.com.cn
印　　张	16		
字　　数	299千字	版　　次	2012 年10月第 1 版
购书热线	010-58581118	印　　次	2014 年9月第 2 次印刷

本书如有缺页、倒页、脱页等质量问题，请到所购图书销售部门联系调换　　ISBN 978-7-04-036182-7
版权所有　侵权必究　　　　　　　　　　　　　　　　　　　　　　　　　05600
物料号　36182-00

前 言

《体验汉语中级教程》（1、2）是与《体验汉语基础教程》（1、2）和《体验汉语高级教程》（1、2）相衔接又分属不同教学阶段的教材，本教程定位于"中级"，旨在扩大学生词汇量、提高学生口头及书面表达能力，进而提高学生的汉语语言综合运用能力。

一、编写理念

本教程强调任务型教学理念，任务贯穿整个教学过程。主张让学生在完成任务中学习、掌握语言知识和技能，提高语言交际能力和语言综合运用能力。

《体验汉语中级教程1》为中级的第1册，共12个单元。每单元都以一个大任务主题统摄2个分任务，分置于两课中，分任务之间形成显性任务链，所有课文都为完成相关任务而进行编写，内容与现实生活紧密相关，层层深入。每课的任务中，又分为针对课文的任务和扩展型任务，难度上有梯度，螺旋式上升。在编写中，注重将语言规范性的学习内容融入具体的任务当中，兼顾听说读写四项语言技能的综合训练，但在每课中又各有不同的侧重点。

二、内容框架

根据以上理念，本教程每个单元的框架结构具体如下：

1. 任务介绍：引出话题，介绍本单元要完成的主要任务内容。

2. 热身活动：聚焦本单元话题，引发思考，进入学习轨道。

3. 第1课：以听说为主，写作为辅，分为话题导入、听后猜词、听后理解和口语活动。

4. 第2课：以读说为主，写作为辅，分为话题导入、生词学习、课文理解、语言点讲练和口语活动。

5. 综合练习：（在单独设计的配套《体验汉语中级教程练习册1》中）分为语言点结构、技能训练、任务扩展等。

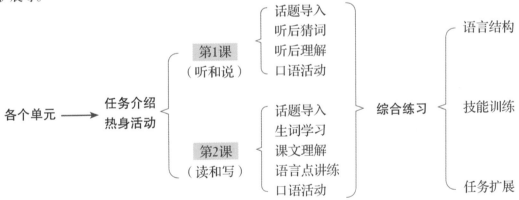

三、主要特点

1. 注重综合训练

本教程以听说读写四项基本技能训练为基础，既注重单一的技能训练，更注重两三项技能相结合的综合训练。每课课文后都有直接针对某项技能的规范性练习。每个单元的两课在各项技能训练上各有侧重：第1课以听说为主，注重听力和日常口语的训练；第2课以读说为主，展示规范准确的现代文文本并进行规范准确的口头表达。而《体验汉语中级教程练习册1》则更注重听说读写综合能力的训练。

2. 重视中国文化的融入

中国文化方面的内容并非介绍讲解性的，而是嵌入式的。将文化内容作为完成任务的语言素材或背景知识，在完成任务的过程中将可输入的相关文化内容融入其中。

3. 体现语言素材的真实性、自然性和实用性

在内容上，本教程所选取的语言素材让学生能有身临其境之感，是学生现实生活中可感可触的内容，如真实访问录音、网络博文、生活见闻等。另一方面，在具体语句选取上，包括例句、练习题都是尽量从现代汉语语料库中选取的真实语料，只根据教学需要作适度修改，以保证原汁原味。

4. 重视词汇的比较和扩展

针对中级汉语教学在词汇量上的需求，一方面针对本课所学词汇作辨析和情境练习，另一方面针对本单元主题进行词汇扩展，使学生的词汇量在横向和纵向上得到强化和深化。同时注重常用表达式的学习，以提高学生成段表达的能力。

5. 分散难点，渐进深入

本教程打破以往中级教材编写时课文过长、过难，生词过于集中的弊端，采取分散难点的做法，同样是一个单元要掌握50个生词，我们把这50个生词分散到教材一个单元中的两课，以及《体验汉语中级教程练习册1》的泛读文章中，而这些部分有一个核心话题统领，使生词具有主题相对集中的特点，便于学生在语境中理解、掌握和运用。这种编排方法能引导学生低端进入、高端产出，使学生具有成就感。

6. 教师好教、学生好学、教学好用

对教师来说，可按照教材呈现的顺序，直接进行教学，这种编教思路希望能给年轻教师提供一种任务型的教学思路和教学流程，也希望能为有经验的老教师提供一些教学参考，更加丰富他们的教学方法。

对学生来说，本书的目的首先是引起学习兴趣，通过任务介绍和热身活动提高学生的学习热情和对话题的关注，然后通过精心设计的各个环节帮助学生理解，引导实现"做中学"，通过一系列任务的完成达到培养语言综合运用能力的目的。

对教学来说，本教程提供了大量听说读写各种技能训练内容，有利于教师备课和上课。在内容层级上，既有用于课堂讲解和训练的例句和练习，也有用于课下经过思考才能完成的综合练习，方便教学。

7. 版式设计新颖、独特

本教程的版式设计淡雅简洁，图文并茂，选配了大量图片，使内容更具真实性、趣味性和情境性。

特别感谢高等教育出版社的编辑们，她们在教材的策划、编写过程中提出了一些富有建设性的建议，更感谢她们的忘我工作热情和认真负责的态度，使得本教程能够保质保量地出版面世。

本书付梓之前虽曾经过主编和各位编者多次打磨，但疏漏之处在所难免。我们衷心地希望使用本书的教师和学生，能够无保留地把自己的使用情况反馈给我们，更希望听到批评和建议。主编邮箱：lp360cn@yahoo.com.cn 。

姜丽萍

2012年8月

Preface

Experiencing Chinese · Intermediate Course (1 & 2) dovetails with *Experiencing Chinese · Basic Course (1 & 2)* and *Experiencing Chinese · Advanced Course (1 & 2)*, belonging to the intermediate level in the series. The purpose of the textbooks is to increase university students' vocabulary, to improve their ability to express themselves orally and on paper, thus to improve their ability in comprehensive Chinese application.

I. Concept

This series places emphasis on a task-based teaching philosophy, with tasks provided throughout the teaching process. It advocates allowing students to learn and grasp the knowledge and skills of the language through the completion of assignments, and to improve their communication and comprehensive language abilities.

Experiencing Chinese · Intermediate Course 1 serves as the first volume of the intermediate level, and includes 12 units. Each unit consists of one main topic, which unifies 2 sub-topics, divided into 2 lessons. An explicit task-chain is formed within each sub-topic, and each text is compiled to provide students with topic-related tasks to complete, with the topics closely and deeply related to real life. The tasks in each lesson are divided into two types, those based on a text, and those given in extension, and their difficulty is on a gradient, forming a spiral pattern. In writing the study content, importance has been attached to the harmonization of language standards with specific tasks, and the comprehensive training of the four language skills: listening, speaking, reading, and writing has also keen taken into account, while the emphasis on each skill differs from lesson to lesson.

II. Framework

Based on the concept above, the specific framework of each unit is listed below:

1. **Task Introduction:** Leading to the topic, it introduces the content of the main task to be completed in each unit.
2. **Warm-up Activities:** Focus on the topic of this unit, lead to thinking and getting ready for study.
3. **Lesson One:** Giving priority to listening and speaking and considering writing secondly, it is divided into introduction, guess new words and expressions, exercises of listening comprehension, and speaking activities.
4. **Lesson Two:** Giving priority to reading and speaking and considering writing secondly, it is divided into introduction, study of new words and expressions, exercises of the text, explanation and exercises of language points, and speaking activities.
5. **Comprehensive Exercises:** (found in the individually designed supporting *Experiencing Chinese · Intermediate Course Workbook 1*) It includes Language Forms, Skills and Extensive Tasks.

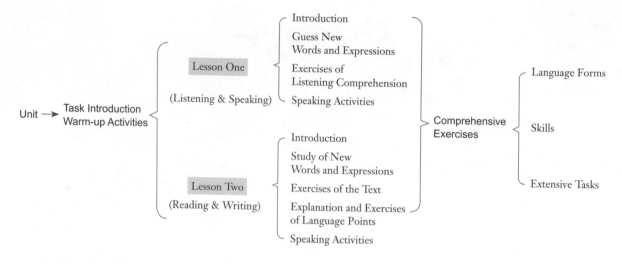

III. Key Features

1. Focus on comprehensive training

The comprehesive training of four basic skills — listening, speaking, reading and writing — forms the basis of this textbook, with importance placed on both the training of each individual skill, and the training of two or three combined skills. Following the texts in each lesson are standardized exercises directly aimed at a specific skill. The 2 lessons in every unit have their own focus on particular skills: Lesson One gives priority to listening and speaking and considers writing secondly, attaching importance to the practice of listening and everyday spoken language; Lesson Two gives priority to reading and speaking, displaying a standardized and accurate modern text and proceeding to proper and accurate oral expression. In addition, *Experiencing Chinese · Intermediate Course Workbook 1* puts more stress on the comprehensive abilities of listening, speaking, reading and writing.

2. Emphasis on integrating Chinese culture

The relationship of the content to Chinese culture is not explained by introduction, but is embedded. Related cultural content, which are used as language materials or background knowledge, is integrated into the process of completing the tasks.

3. Authentic, natural and practical language materials

With regard to content, the selected language materials of this textbook allow students to have a feeling of being immersed. It is tangible to the students' real lives, such as authentic interview recordings, blogs and life experiences. From another aspect, specific language including example sentences and exercises are selected from a database of authentic modern Chinese language, and has only been modified to be in line with teaching needs to ensure authenticity.

4. Emphasis on the comparison and expansion of vocabulary

With the needs of intermediate Chinese vocabulary teaching, on one hand, the lessons are aimed at differentiation and situational exercises, and on the other hand, the units are aimed at the expansion of vocabulary on particular topics, intensifying and deepening learners' vocabulary horizontally and vertically. Meanwhile, it emphasizes on the study of commonly used expressions in order to improve the learners' expressing capabilities in paragraphs.

5. Decentralized difficulty, progressively in-depth

This series improves on the drawbacks of previous intermediate level textbooks, which had excessively long and difficult texts with densely concentrated new words and expressions, and adopted an approach of dispersed difficulty. In one unit, previous texts required the mastery of 50 new words and expression, while in this textbook, these 50 words have been dispersed among the 2 lessons of each unit, and the extended texts of *Experiencing Chinese · Intermediate Course Workbook 1*. In addition, all these sections have a guiding core topic, specific to the central features of the main theme, making it easier for students to comprehend, master and apply within one language context. This method of arrangement can lead students to enter at a low level, and finish at a high level, giving them a sense of accomplishment.

6. Users-friendly, easy to teach and to learn

For the teachers, they can teach directly according to the order of the materials presented. We hope the teaching ideas in this series can provide young teachers with a task-based teaching approach and process, as well as a teaching reference for experienced teachers to enrich their teaching methodology.

For students, the aim of this book is first to lead to interesting study, with the introduction and warm-up sections arousing their enthusiasm for study and attention to the topic. Then, through careful design in all aspects, the series helps students with their understanding, leading to the reality of "learning by doing". Through the completion of a series of tasks, students can achieve their aims of improving their ability to use the language comprehensively.

For teaching, this textbook provides a range of content for each language skill: listening, speaking, reading and writing, which is conducive to helping teachers prepare and teach class. With regard to the content, for the convenience of teaching, there are example sentences and exercises suitable for explanation and practice in the classroom, as well as comprehensive exercises which can only be completed upon reflection after class.

7. Novel and uniquely designed layout

The layout of this textbook is designed with elegant simplicity. The large volume of illustrations are provided to make the content more authentic, interesting and situational.

Special thanks is contributed to the editors of the Higher Education Press, who during the planning and preparation process put forward many constructive suggestions. It is their selfless work ethic, serious and responsible attitude that make this textbook be published with quality and quantity.

We sincerely hope that teachers and students who use the book give feedbacks on their own usage of it without reservation, and look forward to hearing their comments and suggestions. Please send mail to the editor-in-chief at: lp360cn@yahoo.com.cn.

Jiang Liping
August 2012

使用说明

本教程适合已掌握1200个汉语词汇，或者已学完《体验汉语基础教程》（1、2）的学生使用。全书12个单元，每个单元围绕一个任务主题，由2课组成，包括30—40个生词，5个语言点，建议每单元授课6—8个学时。

任务介绍

以日常生活中可能遇到的交际、社会、情感等问题引入，使学生对教学内容产生心理预期与兴趣，再简要介绍第1、2课的主要内容。

热身活动

采用看图说话、趣味测验、听录音猜场景等多种形式，围绕本单元主题进行热身准备。设计了少量与主题相关的生词，在学生预习的前提下，教师帮助学生预热、学习生词，为学习主课文提供保证。

第1课

以听说为主，写为辅。根据单元主题选取真实语料，注重控制语料的深度与难度。每课听力分为3段，分别针对3个子话题展开，每段材料为独立语段，通常为关于某人、某事或某观点的叙述或议论。每课的语料共听三遍以完成各个任务。

猜词练习

练习前，建议教师带读生词，方便学生熟悉生词发音和预测可能的释义。也可作为预习作业，由学生课前独立完成，再由教师带领学习巩固。

判断对错

建议分语段完成练习，以降低难度、减轻学生压力，即每听完一段录音，只判断涉及该段的几个问题，然后依次逐段进行。

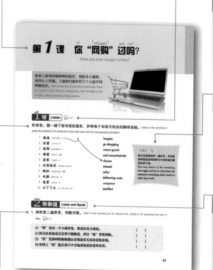

听

听第一遍录音，完成"猜词练习"。每课含10个左右生词。

小贴士

如果课堂时间充裕，可以再增加听一次录音，让学生把涉及生词的关键句或其他重要词语记录下来。

听和说

再听两遍录音，完成"判断对错"、"双人活动"和"小组活动"，在充分理解语言材料的基础上，围绕话题进行口头表达练习。建议教师视学生水平，适当帮助和指导学生完成"双人活动"中的听记任务。

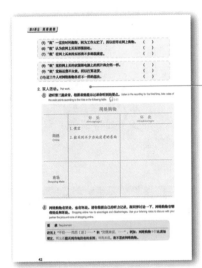

双人活动

　　由两名学生组对合作完成听记和口语表达练习。先在听力基础上，完成听记任务，再根据个人听力记录开展口语活动。要求在口语表达中使用本课学习的1—2个常用句型。

小组活动

　　由4名学生一组合作完成活动，教师可以让"双人活动"中的两对合并组成一组，也可根据实际教学情况自行安排每组人数。围绕本课话题完成扩展性口头表达任务，让学习者熟练使用"常用表达式"。

常用表达式

　　包含本课学过的重要句型、语言点，帮助学生达到规范、准确、有条理地表达。

第2课

　　以读说为主，写为辅。精选规范现代文作为课文，每课约20个生词，每篇课文500—600字。注重训练学生进行规范、准确的口语表达能力。

语言点

　　每课讲练5个语言点，并对部分近义词或表达式进行比较学习。

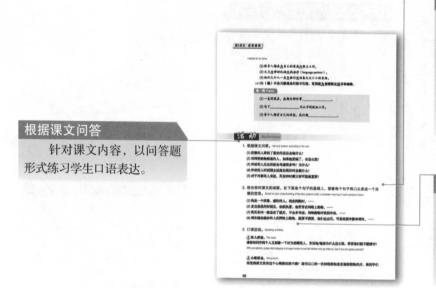

口语表达

在课文基础上进行适当扩展的活动。学生既可根据课文内容组织表达，也可结合自己的实际情况自由表达。建议教师预留几分钟给学生，能让其做好准备（如打草稿），以便顺利表达。

根据课文问答

针对课文内容，以问答题形式练习学生口语表达。

口语活动

分为"双人活动"与"小组活动"，要求学习者掌握本课的常用表达式，能围绕本课主题发表个人观点、展开论述。

以上是对本教程的简要介绍及实际教学操作的一些建议，希冀对您能有所帮助。但"教无定法"，各位教师可以在我们建议的基础上自由发挥，根据实际教学情况灵活安排。中级阶段是学习者汉语水平快速发展的时期，希望本教程能为学习者提供一个迅速提升汉语能力的平台，在连环紧凑的任务引导下积极主动地学习、提高。

张军

2012年8月

Instructions

This textbook is suitable for students who have already mastered 1200 Chinese words, or finished the study of *Experiencing Chinese – Basic Course (1 & 2)*. This textbook includes 12 units in total, with each unit centered on a task topic and composed of 2 lessons. In each unit, there are approximately 30-40 new words and 5 language points. Designed for classroom use, the teaching of each unit is suggested to take 6-8 teaching hours.

Introduction

This section introduces communication, social, and emotional issues that students may commonly meet, giving them a feeling of expectation and interest in the forthcoming teaching content. It then continues to briefly introduce the main content of lessons 1 and 2.

Warm-Up

The warm-up uses exercises such as to look at the pictures to discuss, an interesting quiz or to listen to the recording to choose the scene and introduce the theme of the unit as well. Arranged using some new words related to the topic, students are given the necessary help to clear the barriers to part of the new vocabulary. Under the premise of a preview, the teacher is able to help students to prepare and to provide assurances for the study of the main text.

Lesson One

Giving priority to listening and speaking and considering writing secondly, authentic recording materials related to the topic of the unit have been selected for the learners. The lesson places importance on controlling the difficulty and depth of the materials. The listening exercises for each lesson are divided into three sections, in connection with three sub-topics, and the materials for independent discourse in each section are typically regarding the description or discussion of a person, object or point of view. Each listening text is played three times in total for students to complete all the tasks.

Listening

Listen to the recording for the first time to guess and match the correct word, Each text includes approximately ten new words.

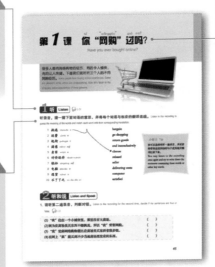

Guess and Match the Words

Prior to the exercise, teachers are suggested to read the new words out loud with students. This is a convenient method of familiarizing learners with the pronunciation and provides an opportunity to predict the possible meaning of the words.

True or False

Completing this exercise can help to reduce the difficulty of the listening text facing the learners. After listening to each section of the recording, learners answer some questions related to that segment, and continue sequentially.

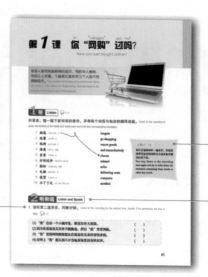

Tip

If there is enough time remaining in class, the recording can be played again, with students asked to note down the new words or other important terms touched upon in key sentences.

Listening and Speaking

Listening for the second and third time, learners complete exercises of "True or false", "Pair work" and "Group work". Under the basis of understanding the language material fully, they proceed to give an oral presentation centering on the topic. Teachers are suggested to give appropriate help and guidance to students depending on their level.

Pair Work

Students are expected to cooperate in pairs to complete the listening and oral communication exercise. With a basis provided by listening and taking notes, they can begin the speaking activity. During their communication, they are required to use 1-2 commonly seen sentence structures introduced earlier in the lesson.

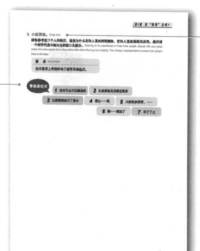

Commonly Used Expressions

This section contains the key language points studied, training students to express themselves accurately, and in a standard and structured manner.

Group Work

Students complete this activity in groups of four; teachers can arrange the groups by joining two pairs from the "Pair Work" activity, or by assessing the actual classroom situation. The topic of the lesson is expanded to provide an oral communication task, allowing learners to become skilled in using common expressions.

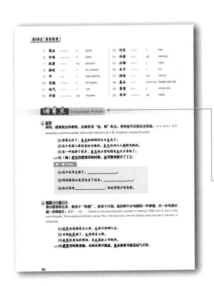

Lesson Two

Giving priority to reading and speaking and considering writing secondly, specially selected modern texts are provided, placing importance on training learners to express themselves in a standard and accurate manner. Each text contains 20 new words and is about 500-600 words in total.

Language Points

Study 5 key language points, comparing near-synonyms or expressions.

Oral Expressions

This activity provides an appropriate extension to the basic text. As well as organising expressions according to the content of the text, students can also use their real life situation to freely integrate more language. Teachers are suggested to reserve a few minutes for students to prepare (for example to prepare a draft), so as to allow the communication to progress smoothly.

Q&A According to the Text

From the content of the text, students gain oral practice in the structure of questions and answers.

Speaking Activities

Divided into "Pair Work" and "Group Work", learners are required to master the common expressions from the lesson. They can express their views, and discuss the main topic of the class.

Above is a brief introduction of this textbook and some suggestions on its use in class, we hope it can be of some help. Of course, "There is no fixed way in teaching", and all teachers have the freedom to use our suggestions as they see fit. Teachers should be flexible in their design of lessons to suit the real situation. The intermediate stage is a period in which learners of Chinese can improve quickly, and we hope this textbook can provide a platform to help them achieve a swift advancement in their level. We hope learners will be guided by the compact series of tasks to actively learn and improve.

Zhang Jun

August, 2012

目　录 Contents

Rénjì　　Guānxi

人际关系
Human Relations

1. 任务介绍　Introduction

　　你跟家人、朋友、同事相处得愉快吗？你遇到过人际关系问题吗？在这个单元里我们会听到几个人遇到的人际关系问题，还会读到一对夫妻是怎么让生活越来越幸福的。Do you get along happily with your family, friends and colleagues? Have you encountered any problems in your interpersonal relationships? In this unit, we will hear from some people who have met such problems, and will read about how a couple have made their life happier and happier.

2. 热身活动　Warm-Up

1. 看看下面这些人，猜猜他们之间发生了什么事情？
Look at the people below, and guess what may have happened between them?

2. 看图片，说说他们在做什么。你遇到过或做过这样的事吗？
Look at the pictures and say what they are doing. Have you met or done these things?

第 **1** 课 家家有本难念的经

Jiājiā yǒu běn nán niàn de jīng

Every family has its own problems

很多人在跟别人相处的时候，会遇到一些问题。下面让我们听听这三个人遇到了什么样的情况。When trying to get along with others, everyone is likely to encounter some problems. Next, let's hear about what kind of problems these three persons have met.

1 听 Listen 🎧 1-01

听录音，猜一猜下面词语的意思，并将每个词语与相应的翻译连线。Listen to the recording to guess the meaning of the words and match each word with their corresponding translation.

1　愉快 yúkuài *adj* .... introverted

2　吵架 chǎojià *v* quarrel

3　代沟 dàigōu *n* specialty

4　讲卫生 jiǎng wèishēng generation gap

5　理解 lǐjiě *v* pay attention to hygiene

6　专业 zhuānyè *n* happen

7　内向 nèixiàng *adj* happy

8　适合 shìhé *v* suit

9　发生 fāshēng *v* understand

> ### 小贴士 Tip
>
> 你可以选择再听一遍录音，并试着将带有这些词语的句子或其他关键词记录下来。
>
> You may listen to the recording once again and try to write down the sentences containing these words or other key words.

2 听和说 Listen and Speak

1. 请听第二遍录音，判断对错。Listen to the recording for the second time and decide if the sentences are true or false. 🎧 1-01

(1) 小天住在学校里，每个星期都回一次家。　　　　　　　　（　　）

(2) 爸爸理解小天为什么不回家。　　　　　　　　　　　　　（　　）

(3) 小天觉得跟爸爸有代沟，所以他们常吵架。　　　　　　　（　　）

(4) 李小明现在跟同屋的关系很好。　　　　　　　　　　　　（　　）

(5) 李小明和同屋们的生活习惯不一样，有的人很晚才睡觉。（　　）

(6) 在李小明的同屋里，有的人不讲卫生，房间里放了很多脏衣服。（　　）

(7) 李小明跟同屋发生了一些不愉快的事情。　　　　　　　　（　　）

(8) "我"以前学习的专业跟现在的工作没有关系。　　　　（　　）

(9) 跟"我"一起进公司的女孩特别会说话。　　　　（　　）

(10) 师傅常常把工作交给我做，可是我不知道怎么办。　　　　（　　）

2. 双人活动。 Pair work.

① 请听第三遍录音，根据表格提示记录你听到的要点。 Listen to the recording for the third time, take notes of the main points according to the hints in the following table. 🎧 1-01

人际关系 Relationships	问题 Problems
家庭(family)关系	跟爸爸吵架
朋友关系	
同事关系	

② 每个人跟家人、朋友或者同事相处的时候，都可能会遇到一些问题。请你根据自己的听力记录，跟同伴讨论一下，说说前面录音中听到的人都遇到了哪些问题。 When getting along with family, friends or colleagues, everyone may encounter some problems. Use your listening notes to discuss with your partner the problems which the people faced in the recording.

要　求 Requirement

请用上"有的……有的……"，例如：有的孩子认为爸爸不理解他，常跟爸爸吵架，有的孩子不喜欢和别人说话。

3. 小组活动。 Group work.

请你参考这三个人遇到的问题，跟同学们说说你以前跟别人相处的时候遇到过什么问题，为什么会有这样的问题。然后请一个同学代表本组向全班做口头报告。 Referring to the problems of these three people, talk with your group mates about the problems you have encountered while getting along with others, and why they occurred. Then choose a representative to present your group's ideas to the class.

要　求 Requirement

请尽量用上学到的句子或常用表达式。

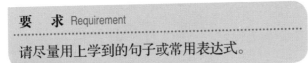

常用表达式
1 跟……吵架　　2 跟……的代沟太大了　　3 不怎么讲卫生
4 发生了很多不愉快的事情　　5 比较内向　　6 不知道怎么跟人交朋友
7 有什么……都愿意……

第2课　为感情"储蓄"

Wèi gǎnqíng "chǔxù"

"Saving-up" in your relationships

怎么才能让自己的人际关系变好呢？感情是不是也可以像在银行存钱一样，越存越多呢？让我们一起读读下面这个家庭故事，看看能否找到答案。How can you change your relationships for the better? Can affection be saved like saving money in the bank, the more you save the better? Let's read together the following family story to find the answers.

🎧 1-02

有一年，妈妈得了重病，家里的钱都**花**完了，可是给妈妈**治**病还得要一万多块钱。正当我发愁不知道怎么办的时候，妻子①<u>突然</u>拿出一万块钱放到我手中。我看了非常**吃惊**，就问她："你什么时候**攒**了这么多**私房钱**啊？"妻子笑了笑说："这是结婚六年多来，我为我们的**爱情**做的'**储蓄**'。"

"爱情储蓄"？我一点儿也听不明白，妻子也不**解释**，只是递给了我一个小本子，上面写着"爱情储蓄**清单**"：

1. 婚后的第一个结婚**纪念日**，因为结婚时花了不少钱，而且该买的都已经买了，所以我不让**老公**再花钱给我买礼物。可是我下班回家后，老公②<u>却</u>拿出**一条**从香港买的**项链**，我好幸福——储蓄200元。

2. 结婚第二年我妈妈病了，老公知道后③<u>二话没说</u>，**赶紧**把妈妈送到医院。那次，④<u>多亏</u>老公**及时**把妈妈送到医院。那段时间，老公每天下班后都去医院看她。妈妈对我说："这**女婿**就像儿子一样！"我听完觉得非常**感动**——储蓄400元。

3. 去年我过生日，姐妹们想在外面给我开个生日聚会，可是我觉得在家里过比较好，就请她们来家里做客，老公做了几个**拿手**菜，姐妹们看了都羡慕我找了个好老公——储蓄100元。

……

看完妻子那份长长的"清单"，我感动地抱住妻子说："老婆，谢谢你对我的爱。⑤从今天起，我也要为爱情'储蓄'！"

幸福的爱情是一种储蓄，你存得越多，这个家**回报**给你的幸福就会越多。

Yǒu yì nián, māma dé le zhòngbìng, jiāli de qián dōu **huā** wán le, kěshì gěi māma **zhìbìng** hái děi yào yíwàn duō kuài qián. Zhèngdāng wǒ fāchóu bù zhīdào zěnme bàn de shíhou, qīzi ①<u>tūrán</u> náchū yíwàn kuài qián fàngdào wǒ shǒu zhōng. Wǒ kàn le fēicháng **chījīng**, jiù wèn tā : "Nǐ shénme shíhou **zǎn** le zhème duō **sīfang qián** a?" Qīzi xiào le xiào shuō: "Zhè shì jiéhūn liù nián duō lái, wǒ wèi wǒmen de **àiqíng** zuò de '**chǔxù**'."

"**àiqíng chǔxù**"? Wǒ yìdiǎnr yě tīng bu míngbai, qīzi yě bù **jiěshì**, zhǐshì dìgěi wǒ yíge xiǎo běnzi, shàngmiàn xiě zhe "àiqíng chǔxù **qīngdān**":

1. Hūn hòu de dìyī ge jiéhūn **jìniànrì**, yīnwèi jiéhūn shí huā le bù shǎo qián, érqiě gāi mǎi de dōu yǐjīng mǎi le, suǒyǐ wǒ bú ràng **lǎogōng** zài huāqián gěi wǒ mǎi lǐwù. Kěshì wǒ xiàbān huíjiā hòu, lǎogōng ②<u>què</u> náchū yì **tiáo** cóng Xiānggǎng mǎi de **xiàngliàn**, wǒ hǎo xìngfú —— chǔxù liǎngbǎi yuán.

2. Jiéhūn dì'èr nián wǒ māma bìng le, lǎogōng zhīdào hòu ③<u>èrhuà</u> méi shuō, **gǎnjǐn** bǎ māma sòng dào yīyuàn. Nà cì, ④<u>duōkuī</u> lǎogōng **jíshí** bǎ māma sòngdào yīyuàn. Nà duàn shíjiān, lǎogōng měitiān xiàbān hòu dōu qù yīyuàn kàn tā. Māma duì wǒ shuō: "Zhè **nǚxu** jiù xiàng érzi yíyàng!" Wǒ tīngwán juéde fēicháng **gǎndòng** —— chǔxù sìbǎi yuán.

3. Qùnián wǒ guò **shēngrì**, jiěmèimen xiǎng zài wàimiàn gěi wǒ kāi ge shēngrì jùhuì, kěshì wǒ juéde zài jiāli guò bǐjiào hǎo, jiù qǐng tāmen lái jiāli zuòkè, lǎogōng zuò le jǐ dào **náshǒu** cài, jiěmèimen kàn le dōu **xiànmù** wǒ zhǎo le ge hǎo lǎogōng —— chǔxù yìbǎi yuán.

……

Kàn wán qīzi nà fèn chángcháng de "qīngdān", wǒ gǎndòng de **bàozhù** qīzi shuō "Lǎopo, xièxie nǐ duì wǒ de ài. <u>Cóng jīntiān qǐ</u>, wǒ yě yào wèi àiqíng '**chǔxù**'!"

Xìngfú de àiqíng shì yìzhǒng chǔxù, nǐ cún de yuè duō, zhège jiā **huíbào** gěi nǐ de xìngfú jiù huì yuè duō.

词语 Vocabulary 🎧 1-03

1	花	huā	*v*	spend
2	治	zhì	*v*	cure
3	吃惊	chījīng	*adj*	surprised
4	攒	zǎn	*v*	save
5	私房钱	sīfang qián	*n*	private savings
6	爱情	àiqíng	*n*	love

7	储蓄	chǔxù	n/v	savings; save
8	解释	jiěshì	v	explain
9	清单	qīngdān	n	list
10	纪念日	jìniànrì	n	memorial day
11	老公	lǎogōng	n	husband
12	条	tiáo	mw	*used for long and thin things*
13	项链	xiàngliàn	n	necklace

14	赶紧	gǎnjǐn	adv	with haste
15	及时	jíshí	adj/adv	without delay
16	女婿	nǚxu	n	son-in-law
17	感动	gǎndòng	v	be moved
18	拿手	náshǒu	adj	being one's specialty
19	回报	huíbào	v	return

语言点 Language Points

① 突然

形容词或者副词，表示情况发生得很快，没有想到。作形容词时，前面可用"很、太、非常、特别、不"，在句子中可作定语，修饰名词（①a）；还可以作谓语或补语（①b）。作副词时，在句子中作状语，有时后面可加"地"（②）。突然 is an adjective or adverb, which indicates that something has happened very quickly and unexpectedly. When acting as an adjective, it can be preceded by 很, 太, 非常, 特别 and 不. Within sentences, it can be used as an attributive to modify nouns (①a). It can also act as a predicate or complement (①b). When acting as an adverb, it is an adverbial in a sentence, and is sometimes followed by 地 (②).

(1) 那天雨下得特别<u>突然</u>。①b

(2) 快下课的时候，老师<u>突然</u>问了我一个问题。②

(3) 很多人都不理解这个<u>突然</u>的安排。①a

☞(4) **妻子突然拿出一万块钱放到我手中。②**

练一练 Practice

(1) 晚上我正准备睡觉，＿＿＿＿＿＿＿＿＿＿。

(2) ＿＿＿＿＿＿＿＿＿＿，大家都觉得不是真的。

(3) 小明的身体一直很好，＿＿＿＿＿＿＿＿＿＿。

② 却

副词，表示转折。用在动词前面作状语，可是不能放在主语前面。却 is an adverb indicating a turning point. It is used before verbs as an adverbial, though cannot be used before the subject.

(1) 虽然她学习汉语的时间不长，<u>却</u>学得非常好。

(2) 北京的冬天很冷，我<u>却</u>很喜欢这里。

(3) 他跟我在电话里聊了半天，我<u>却</u>还不知道他是谁。

☞(4) **我不让老公再花钱给我买礼物，……老公却拿出一条从香港买的项链。**

练一练 Practice

(1) 从三年前我就喜欢她了，＿＿＿＿＿＿＿＿＿＿。

(2) 大家都听懂了老师的话，＿＿＿＿＿＿＿＿＿＿。

(3) 人们都觉得这个电影特别有意思，＿＿＿＿＿＿＿＿＿＿。

❸ 二话

名词，表示别的话，不同的意见，多用于否定结构。二话 is a noun meaning *other words*, or *different opinions*. It is usually used in a negative structure.

(1) 他**二话**没说，同意（agree）了我们大家的主意。

(2) 玛丽要是参加晚会，大卫**二话**不说，一定也会参加。

(3) 朋友**二话**没说就把钱借给我了。

☞(4) **老公知道后二话没说，赶紧把妈妈送到医院。**

练一练 Practice

(1) 朋友让他帮忙去图书馆还书，＿＿＿＿＿＿＿＿＿＿。

(2) 只要妈妈同意，＿＿＿＿＿＿＿＿＿＿。

(3) 明白了我们的问题后，＿＿＿＿＿＿＿＿＿＿。

❹ 多亏

动词。表示由于别人的帮助或某种原因，避免了不好的事情发生，有感谢、庆幸的意思。可带"了"，没有否定式。多亏 is a verb indicating that due to the help of others, or for some reason, a bad situation has been prevented from happening. It has the meaning of *giving thanks and rejoicing*. It may be used with 了 and cannot be used in a negative form.

(1) 那次**多亏**了你，要不我就走错路了。

(2) **多亏**他的帮助，马克考试才考得这么好。

(3) **多亏**山本告诉我考试的时间，要不我就忘了。

☞(4) **那次，多亏老公及时把妈妈送到医院。**

练一练 Practice

(1) ＿＿＿＿＿＿＿＿＿＿，要不我就迟到了。

(2) ＿＿＿＿＿＿＿＿＿＿，要不我们又买不上火车票了。

(3) ＿＿＿＿＿＿＿＿＿＿，我才学会了这个语法。

⑤ 从……起

固定结构，表示从……开始。从……起 is a fixed structure meaning *from … on*.

(1) 从明天起，我们早上一起去操场锻炼身体。

(2) 从朋友告诉玛丽这件事起，玛丽像变了一个人一样。

(3) 她从三岁起就练习游泳了。

☞(4) 从今天起，我也要为爱情"储蓄"！

练一练 Practice

(1) _____，爸爸就一直做这个工作。

(2) _____，大家都把他当成好朋友了。

(3) _____，他学习就非常努力。

活动 Activities

1. 根据课文问答。 Ask and answer according to the text.

(1) 妻子是什么时候拿出一万块钱给"我"的？

(2) 妻子在小本子上记着些什么？

(3) 第一个结婚纪念日时，"我"送给妻子什么礼物？

(4) 妻子的妈妈病了以后，"我"做了什么？

(5) "我"认为什么是幸福的爱情？

2. 结合你对课文的理解，在下面各个句子的基础上，接着每个句子再口头表述一个完整的意思。 Based on your understanding of the text, present orally a complete meaning of each sentence below.

(1) 十月一日是我们的结婚纪念日，虽然我们已经结婚很多年了，……

(2) 老公对我妈妈特别好，别人都很羡慕我妈妈有个好女婿。……

(3) 前几天是我女朋友的生日，……

3. 口语活动。 Speaking activities.

① **双人活动。** Pair work.

如果是你，你会怎么为感情"储蓄"呢？请你和同伴互相介绍一下你们自己的"储蓄"方式，看看谁的更好。How would you "save up" affection? Discuss with your partner your methods of "saving up" affection, and see whose is better.

② **小组活动。** Group work.

除了为爱情"储蓄"以外，你认为还可以为什么"储蓄"呢？请用自己的经历跟同学们说说你以前为什么"储蓄"过，是怎么"储蓄"的，"储蓄"的结果怎么样。然后，每组选出一个最有意思的、最感动人的经历，请一个同学代表本组向全班做报告。Other than "saving up" for love between lovers, what else affection do you think could be "saved"? Use your own experiences to talk to your group mates about what you have "saved", how it has been "saved" and what have been the results of your "savings". Then choose the most interesting and moving experience from the group and ask a representative to present it to the class.

要　求 Requirement

请尽量用上学到的句子或常用表达式。

常用表达式

1 正当……的时候，……

2 一点也不/没……

3 该……的都已经……了

4 二话没说

5 多亏……

6 从……起，……

7 越……越……

2

Lǐxiǎng　　Zhíyè

理想职业

Ideal Jobs

1. 任务介绍　Introduction

　　你工作了吗？或者你准备找工作吗？每种工作都有自己的特点。在这个单元里，我们先会听到关于某些工作的优点和缺点，然后看看一些成功人士是怎么找到适合自己的理想职业的。Are you working, or ready to look for a job? Every kind of occupation has its own characteristics. In this unit, we will hear about the pros and cons of some jobs at first, and then will read how the successful persons found their ideal jobs.

2. 热身活动　Warm-Up

1. 看看下面几幅图片，你会联想到什么职业呢？
Looking at the pictures below. What kinds of profession do they remind you?

教练 - coach
jiào liàn

2. 你觉得什么职业最适合你呢？现在我们来做一个小游戏。在下面的迷宫图中，从"起点"出发，一共有五个终点A、B、C、D、E，看看你能从哪个出口走出来。然后再根据答案看看你最适合什么职业。

Which occupation do you think best suits you? Let's play a little game. In the maze below, starting from 起点, there are five possible destinations: A, B, C, D and E. Where you will end up? Check the answers to find the occupation best suits you.

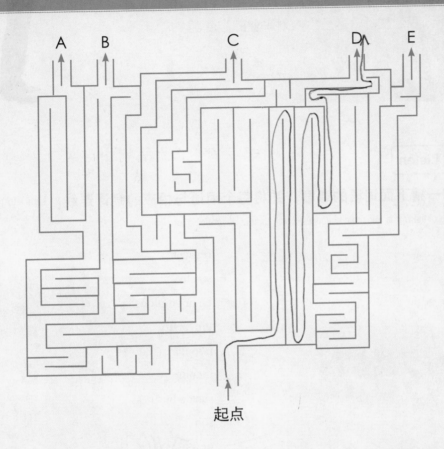

起点

- 终点A的人适合的职业：警察、教练、作家。

  Occupations suitable for those at destination A: police officer, sports coach, writer.

- 终点B的人适合的职业：会计、导演、设计师。

  Occupations suitable for those at destination B: accountant, film director, designer.

- 终点C的人适合的职业：律师、领导、指挥。

  Occupations suitable for those at destination C: lawyer, leader, conductor.

- 终点D的人适合的职业：医生、教师、歌手、记者。

  Occupations suitable for those at destination D: doctor, teacher, singer, reporter.

- 终点E的人适合的职业：演员、司机、商人。

  Occupations suitable for those at destination E: performer, driver, businessperson.

第 **1** 课 三百六十行
Sānbǎi liùshí háng
All walks of life

每种职业都有不同的特点。有的人喜欢自己的工作，有的人却不喜欢。下面我们就听听这三个人对职业的态度。All professions have different characteristics. Some people enjoy their work while others dislike it. Next, we will hear about three people's attitudes towards their jobs.

1 听 | Listen | 🎧 2-01

听录音，猜一猜下面词语的意思，并将每个词语与相应的翻译连线。Listen to the recording to guess the meaning of the words and match each word with their corresponding translation.

opposite
支出 ←
开业
open up a business

1	稳定	wěndìng	v		respect
2	尊敬	zūnjìng	adj		stable
3	收入	shōurù	v		be unemployed
4	失业	shīyè	n		university
5	吃香	chīxiāng	adj		popular
6	儿子	érzi	n		income
7	新闻	xīnwén	v		start a business
8	创业	chuàngyè	n		son
9	大学	dàxué	n		news

> **小贴士 Tip**
>
> 你可以选择再听一遍录音，并试着将带有这些词语的句子或其他关键词记录下来。
> You may listen to the recording once again and try to write down the sentences containing these words or other key words.

2 听和说 | Listen and Speak

1. 请听第二遍录音，判断对错。Listen to the recording for the second time and decide if the sentences are true or false. 🎧 2-01

(1) 女孩的爸妈不想让她当老师。 (✓)

(2) 当老师很稳定，这个女孩很喜欢这个工作。 (✗)

(3) 女孩觉得虽然有寒暑假，可是当老师没有意思。 (✓)

(4) 王先生希望儿子考上北京大学英语专业。 ( )

(5) 当了医生就不会担心以后没有工作。 ( )

(6) 对于医生这个工作来说，当医生的时间越长越受欢迎。 ( )

(7) 过去大学生找工作难已经不是新闻了。 （　　）

(8) 创业没有当教师、医生稳定。 （　　）

(9) 张东觉得创业比找别的工作好。 （　　）

(10) 自己创业有很多时间，不用努力工作。 （　　）

2. 双人活动。Pair work.

① 请听第三遍录音，根据表格提示记录你听到的要点。Listen to the recording for the third time, take notes of the main points according to the hints in the following table. 🎧 2-01

工作 Jobs	优点 Advantages	缺点 Disadvantages
教师	1. 受人尊敬 2. 稳定 3. 假期 - holidays jià qī	1. 一点没有意 2. 收入不多
医生		
自己创业		

② 每种工作都有自己的优点和缺点，请你根据自己的听力记录，跟同伴讨论一下刚才听到的三种工作有哪些优点和缺点。Every job has its advantages and disadvantages. Use your listening notes to discuss with your partner the pros and cons of the three occupations you just heard about.

要　求 Requirement

请用上"除了……以外，……"，例如：当老师除了受人尊敬以外，工作也比较稳定。

3. 小组活动。 Group work.

请你参考这三种工作的优点和缺点，说说为什么有的人喜欢稳定的工作，比如老师、医生等，而有的人却喜欢不稳定的工作，比如自己创业。再谈谈你会选择哪种工作。然后请一个同学代表本组向全班做口头报告。Referring to the advantages and disadvantages of these three professions, talk with your group mates why some people like to be in a stable profession such as teachers, doctors and so on, while other people prefer an unstable career path, such as starting a business. Then choose a representative to present your group's ideas to the class.

要　求 Requirement

请尽量用上学到的句子或常用表达式。

常用表达式

1 受人尊敬　　2 比较稳定　　3 一点儿意思也没有

4 是不会失业的　　5 越……越吃香　　6 已经不是什么新闻了

7 给别人工作不如为自己工作

第2课 有志者事竟成

Where there is a will, there is a way

你的理想职业是什么？如果你选择了适合自己的职业，工作的时候一定会很快乐，而且更容易成功，那怎么选择适合自己的职业呢？下面我们看看哪些方面对选择职业比较重要。What is your ideal job? If you choose a profession which suits you, you will certainly have a happy work life and are more likely to be successful. So how will you choose a suitable occupation? Next, we will look at which aspects are important to consider when choosing a career path.

🎧 2-02

有的人想当医生，有的人想当警察……你呢？你有自己的**理想**职业吗？如果没有，请你先问问自己："我的兴趣是什么？"比如：我喜欢做什么？我**擅长**做什么？因为一个人要是能**根据**自己的爱好去选择职业，他就会更爱自己的工作、更想去工作。①即使工作很**疲倦**，也总是高高兴兴、心情愉快；即使困难很多，也一定不会**放弃**，②反而会想各种办法，试着去做得更好。

爱迪生就是个很好的**例子**。他差不多每天都在**实验室**里工作十几个小时，在那儿吃饭、睡觉，但他一点儿也不觉得辛苦，反而觉得每天都非常快乐。

很多人总是很难③弄清楚自己的兴趣是什么、自己擅长什么。在生活中慢慢**发现**自己，认识自己，了解自己能干什么、不能干什么，④如此才能**取其所长**、**避其所短**，⑤进而把工作做好。

作家斯贝克一开始也没有想到自己会**成为**作家，**改**了好几次**行**。开始的时候，因为他有一米九高，所以爱上了篮球运动，当了一名篮球**运动员**。过了一段时间，因为打球打得不是很好，再加上**年龄**也大了，又改行当了**画家**。可是，**他画画儿**画得也不是特别好。**当**斯贝克给报纸杂志画画儿**时**，有时候也写点**短文**，终于他发现了自己的**才能**，最后成为一个有名的作家。

finally

zhong

发现自己的兴趣，根据兴趣选择自己的职业，你的生活才会更快乐，才更容易把工作做好。

Yǒude rén xiǎng dāng yīshēng, yǒude rén xiǎng dāng jǐngchá … Nǐ ne? Nǐ yǒu zìjǐ de lǐxiǎng zhíyè ma? Rúguǒ méiyǒu, qǐng nǐ xiān wènwen zìjǐ: "Wǒ de xìngqù shì shénme?" Bǐrú: Wǒ xǐhuan zuò shénme? Wǒ shàncháng zuò shénme? Yīnwèi yí ge rén yàoshi néng gēnjù zìjǐ de àihào qù xuǎnzé zhíyè, tā jiù huì gèng ài zìjǐ de gōngzuò, gèng xiǎng qù gōngzuò. ①Jíshǐ gōngzuò hěn píjuàn, yě zǒng shì gāogāoxìngxìng, xīnqíng yúkuài; jíshǐ kùnnan hěn duō, yě yídìng bú huì fàngqì, ②fǎn'ér huì xiǎng gèzhǒng bànfǎ, shìzhe qù zuò de gèng hǎo.

Àidíshēng jiù shì ge hěn hǎo de lìzi. Tā chàbuduō měitiān dōu zài shíyànshì lǐ gōngzuò shí jǐ ge xiǎoshí, zài nàr chīfàn, shuìjiào, dàn tā yìdiǎnr yě bù juéde xīnkǔ, fǎn'ér juéde měitiān dōu fēicháng kuàilè.

Hěn duō rén zǒng shì hěn nán ③nòng qīngchu zìjǐ de xìngqù shì shénme, zìjǐ shàncháng shénme. Zài shēnghuó zhōng mànman fāxiàn zìjǐ, rènshi zìjǐ, liǎojiě zìjǐ néng gàn shénme, bù néng gàn shénme, ④rúcǐ cái néng qǔ qí suǒ cháng, bì qí suǒ duǎn, ⑤jìn'ér bǎ gōngzuò zuò hǎo.

Zuòjiā Sībèikè yì kāishǐ yě méiyǒu xiǎngdào zìjǐ huì chéngwéi zuòjiā, gǎi le hǎo jǐ cì háng. Kāishǐ de shíhou, yīnwèi tā yǒu yìmǐjiǔ gāo, suǒyǐ àishàng le lánqiú yùndòng, dāng le yì míng lánqiú yùndòngyuán. Guò le yí duàn shíjiān, yīnwèi dǎqiú dǎ de bú shì hěn hǎo, zài jiāshang niánlíng yě dà le, yòu gǎiháng dāng le huàjiā. Kěshì, tā huàhuàr huà de yě bú shì tèbié hǎo. Dāng Sībèikè gěi bàozhǐ zázhì huàhuàr shí, yǒu shíhou yě xiě diǎn duǎnwén, zhōngyú tā fāxiàn le zìjǐ de cáinéng, zuìhòu chéngwéi yí ge yǒumíng de zuòjiā.

Fāxiàn zìjǐ de xìngqù, gēnjù xìngqù xuǎnzé zìjǐ de zhíyè, nǐ de shēnghuó cái huì gèng kuàilè, cái gèng róngyì bǎ gōngzuò zuòhǎo.

词语 Vocabulary 2-03

1	理想	lǐxiǎng	*adj/n*	ideal
2	擅长	shàncháng	*v*	be good at
3	根据	gēnjù	*prep*	based on
4	疲倦	píjuàn	*adj*	fatigue
5	放弃	fàngqì	*v*	give up
6	例子	lìzi	*n*	example
7	实验室	shíyànshì	*n*	lab
8	发现	fāxiàn	*v*	find out

9 取其所长、避其所短
qǔ qí suǒ cháng, bì qí suǒ duǎn
take the advantages, and avoid the disadvantages

10	作家	zuòjiā	*n*	writer
11	成为	chéngwéi	*v*	become
12	改行	gǎiháng	*v*	change profession
13	运动员	yùndòngyuán	*n*	sportsman
14	年龄	niánlíng	*n*	age

15	画家	huàjiā	n	painter
16	画	huà	v	paint, draw
17	画儿	huàr	n	picture
18	当……时	dāng…shí		when
19	短文	duǎnwén	n	article

| 20 | 才能 | cáinéng | n | talent |

专有名词 Proper Nouns

| 1 | 爱迪生 | Àidíshēng | Edison |
| 2 | 斯贝克 | Sībèikè | Speake |

语言点 Language Points

① 即使……也……

表示假设、让步。前后两部分是相关的两件事，前一小句常表示一种假设情况，后一小句表示结果或结论不受这种情况的影响。即使……也…… expresses an assumption or a concession. The two clauses are related to each other. The first clauses usually leads an assumption, while the second clauses indicates that the result or conclusion will not be affected by the assumption.

(1) 明天<u>即使</u>下雨，我<u>也</u>要去找她。

(2) 别着急，<u>即使</u>晚一个小时出发，咱们<u>也</u>来得及。

(3) <u>即使</u>别人不帮我，我<u>也</u>能把这件事做好。

☞(4) **<u>即使</u>工作很疲倦，<u>也</u>总是高高兴兴、心情愉快。**

练一练 Practice

(1) 即使他不去参加比赛，＿＿＿＿＿＿＿＿＿＿。

(2) ＿＿＿＿＿＿＿＿＿＿，你也不能放弃。

(3) 他即使感冒了，＿＿＿＿＿＿＿＿＿＿。

② 反而

副词，表示跟前文意思相反或出乎预料之外，在句子中起转折作用。反而 is an adverb indicating the contrary of the preceding text, or something out of expectations. It has the effect of a transition within a sentence.

(1) 山本的家离学校最远，他<u>反而</u>是每天最早到教室的学生。

(2) 吃了药不但没有好，身体<u>反而</u>越来越差了。

(3) 风不但没有停，<u>反而</u>更大了。

☞(4) **即使困难很多，（他）也一定不会放弃，<u>反而</u>会想各种办法，试着去做得更好。**

练一练 Practice

(1) 妈妈让他别买衣服，＿＿＿＿＿＿＿＿＿＿。

(2) 玛丽是我们班最喜欢唱歌的，＿＿＿＿＿＿＿＿＿＿。

(3) 北京在上下班时间特别容易堵车，＿＿＿＿＿＿＿＿＿＿。

③ 弄

[handwritten: can also replace other words e.g.]

动词，意思是搞、做。可以代表其他一些动词的意义，比如：弄（做）饭、弄（修）车、弄（想）清楚等。弄 is a verb meaning to *do*. It also takes the meaning of some other verbs, such as 弄（做）饭, 弄（修）车, 弄（想）清楚 and so on.

[handwritten: a complaint / they've changed how such works]

(1) 你看他把这儿弄成什么样子了！ *[handwritten: Nong did it wrong]*

(2) 老公每天下班到家前，小方就把饭弄好了。

(3) 对不起，您弄错了，这里不是23号楼。

☞(4) **很多人总是很难弄清楚自己的兴趣是什么、自己擅长什么。**

练一练 Practice

[handwritten: kuai gu rong dianr chi le]

(1) 孩子们都饿了，＿＿＿＿＿＿＿。

(2) 你不是马丁啊？真对不起，＿＿＿＿＿＿＿。

(3) 请您稍等一下，我马上帮您 *[handwritten: nong hao]* ＿＿＿。

[handwritten: nong yi nong / nong ge xin de (zhao)]

④ 如此

指上文提到的某种情况，相当于"这样"，多用于书面语。如此 refers to a previously mentioned situation, and is equivalent to 这样. It is usually used in formal and written language.

[handwritten: 一…就]

(1) 他一起床就去公园跑步了，每天如此。

(2) 学习汉语要多听、多说、多练，如此才能把汉语学好。

(3) 我建议（suggest）你每天早睡早起，如此一定不会再迟到了。

[handwritten: 洗澡/淋浴]

☞(4) **了解自己能干什么，不能干什么，如此才能取其所长、避其所短。**

练一练 Practice

[handwritten: sports ground]

(1) 你应该经常去操场运动，＿＿＿＿＿。 *[handwritten: shenti yue lai yue jiankuang]*

(2) 老师建议我多跟中国人聊天，＿＿＿＿＿。

(3) 朋友告诉我一个好办法，＿＿＿＿＿。

[handwritten: meiwaner yiguowei cheng gang]

⑤ 进而

[handwritten: it has to be a result]

表示在已有的基础上进一步。"进而"用于后一小句，前一小句先说明完成某事，"进而"前面可以用"又、再、才、并"等。进而 indicates the extension of an existing situation. 进而 is used in the second clause of a sentence, with the preceding clause explaining a completed action. 进而 can be preceded by 又, 再, 才, 并, etc.

(1) 妈妈总说先做好人，进而才能做好事。

(2) 先学好汉语，进而在中国好好地生活。

[handwritten: furthermore / as a result / and then]

(3) 你应该先了解她，进而知道她适合不适合做你的女朋友。

☞(4) **取其所长、避其所短，进而把工作做好。**

练一练 Practice

geng kuai le de sheng huo

(1) 你只有改变了生活习惯，_____。

(2) 我们平时好好学习，**进而找到好工作** *jin er zhao dao hao de gang zuo*

(3) 当你知道自己擅长做什么时，_____。

活动 Activities

1. 根据课文问答。 Ask and answer according to the text.

(1) 如果你没有职业理想，应该先做什么？

(2) 一个喜欢自己工作的人，在遇到很多困难时会放弃吗？为什么？

(3) 怎么才能弄清楚自己喜欢什么、擅长什么？

(4) 斯贝克从一开始就是作家吗？他都做过什么工作？

(5) 斯贝克是什么时候发现自己的写作才能的？

2. 结合你对课文的理解，在下面各个句子的基础上，接着每个句子再口头表述一个完整的意思。 Based on your understanding of the text, present orally a complete meaning of each sentence below.

(1) 快找工作了，我要好好想想自己喜欢什么、擅长什么。……

(2) 爱迪生非常喜欢自己的工作，……

(3) 大家好，我叫斯贝克，……

3. 口语活动。 Speaking activities.

①双人活动。 Pair work.

请你和你的同伴讨论一下为什么兴趣对找工作、在工作中取得成功很重要。你对什么最感兴趣呢？然后想一想除了兴趣以外，还有哪方面对找工作也很重要，把想到的记在下面的表格中。最后，请与其他组交流一下。 Discuss with your partner why you think interest in a job and in a job search is important to the success. What are you interested in? Next, think about what other aspects are important in finding a job. Take notes down your thoughts in the table below. At last exchange your ideas with other pairs.

哪些方面对找工作很重要？	为什么？
1. 兴趣	
2. 公司文化	善解人意
3. 收入高	生活费很高
4. 根据自己的擅长	工作中取得成功很重要
5. 敢于尝试	

challenges you / daring to try a different job

② **小组活动**。 Group work.

你认为自己最适合什么工作呢？请结合自己的实际情况，并参考双人活动中想到的对找工作很重要的方面，跟本组同学们说说自己的理想职业。然后请一个同学代表本组向全班介绍一下每个成员的理想职业。What kind of job do you think is most suitable for you? Considering your actual situation and referring to the notes taken by your pair about the important things to consider in a job search, tell your group mates about your ideal job. Then choose a representative to introduce each group member's ideal job to the class.

要　　求 Requirement
....
请尽量用上学到的句子或常用表达式。

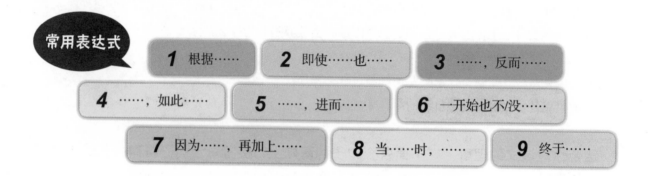

常用表达式

1 根据……　　2 即使……也……　　3 ……，反而……

4 ……，如此……　　5 ……，进而……　　6 一开始也不/没……

7 因为……，再加上……　　8 当……时，……　　9 终于……

1. 任务介绍 Introduction

　　你在学习、工作或者生活中是否感到有压力？你有没有觉得自己身体不舒服，但是医生却说你的身体没有问题？在这个单元，我们会听到一些人处于亚健康状态的表现，再读一下别人是怎么解压、远离亚健康的。Do you feel pressure in your study, work or life? Do you think that your health isn't good, though the doctor has said that you have no physical problems? In this unit, we will hear about the symptoms of some people who are in a sub-healthy state, and will read other people's experiences on how to deal with pressure and stay far from a sub-healthy condition.

2. 热身活动 Warm-Up

1. 听录音，试从下面的图片中找出跟听到的场景相关的图片。 3-01
Listen to the recording, try to match the scenes to the related pictures below.

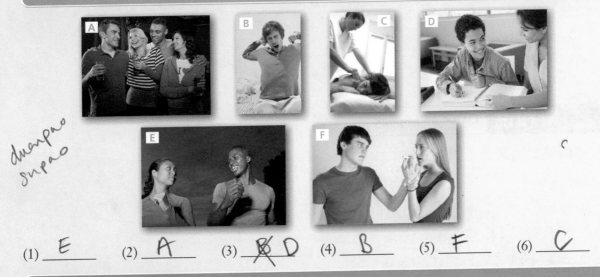

duanpao
snpao

(1) __E__   (2) __A__   (3) __~~B~~D__   (4) __B__   (5) __F__   (6) __C__

2. 说一说上面图片中的几个人都发生了什么事？你做过跟他们一样的事吗？什么时候做过呢？你认为那样做会对身体和心理健康有害吗？为什么？
What is happening with the people in the pictures above? Have you encountered similar situations? When did they occur? Do you think these things are harmful to your physical or mental health? Why?

第 **1** 课　你亚健康了吗?

Nǐ yà jiànkāng le ma?

Are you sub-healthy?

很多人在面对不同的压力时，会有不同的表现。有的是心里不愉快，有的是身体不太舒服。下面我们就听听这三类人的健康情况。Many people are facing different kinds of pressure, and will behave in different ways. Some are mentally unhappy, and some feel unwell. Next, we will hear about the health situation of three different kinds.

1 听 Listen 🎧 3-02

听录音，猜一猜下面词语的意思，并将每个词语与相应的翻译连线。Listen to the recording to guess the meaning of the words and match each word with their corresponding translation.

mental/psychological

stressed out

1　心理　xīnlǐ　n　→ psychology

2　处于　chǔyú　n　state

3　亚健康　yà jiànkāng　v　be in

4　状态　zhuàngtài　adj　sub-healthy

5　吃力　chīlì　v　insomnia　*mental anxiety worry*

6　失眠　shīmián　n　heart disease

7　心病　xīnbìng　adj　difficult

8　颈椎病　jǐngzhuībìng　n　life

9　命　mìng　n　cervical spondylosis

生命

neck/spine problem

心脏病 heart disease

小贴士 Tip

你可以选择再听一遍录音，并试着将带有这些词语的句子或其他关键词记录下来。
You may listen to the recording once again and try to write down the sentences containing these words or other key words.

2 听和说 Listen and Speak

1. 请听第二遍录音，判断对错。Listen to the recording for the second time, decide if the sentences are true or false. 🎧 3-02

yali - pressure stress

(1) 就要高考了，这位老师心理压力很大。(✗)

(2) 为了准备考试，学生们每天只是学习。(✓)　*为了*

(3) 很多学生都生病了，请假的人越来越多。(✗)　*心请 不好*

↳ *absent*

insomnia = lost sleep

(4) 黄小姐工作一直觉得很简单。(✗)

(5) 黄小姐失眠了，吃了几次药就全好了。(✗)

(6) 医生告诉黄小姐她的心有病。(✓)

22

(7) 得了颈椎病，头可能会疼。 （ ✓ ）
(8) 常用电脑工作的年轻人不容易得颈椎病。 （ ✗ ）
(9) "年轻时拿命换钱" 意思是年轻人为了工作挣钱，不注意身体。 （ ✓ ） ?
(10) 听到的这些人都处于亚健康状态。 ~look after~ （ ✓ ）

2. 双人活动。Pair work.

① 请听第三遍录音，根据表格提示记录你听到的要点。Listen to the recording for the third time, take notes of the main points according to the hints in the following table. 🎧 3-02

人物 Persons	原因 Reasons	表现 Behaviors
学生	考试压力太大了	请假的人越来越多……
黄小姐		
马先生		

② 你现在理解亚健康的意思了吗？请你跟同伴讨论一下，刚才听到的三类人为什么会处于亚健康状态，他们的亚健康状态有什么表现，你们认为亚健康可能还有哪些其他表现。Do you understand the meaning of 亚健康 now? Use your listening notes to discuss with you partner why you think these three people in the recording are in a sub-healthy state, how their sub-healthy states manifest themselves, and what else you think a sub-healthy state could be exhibited.

> **要 求** Requirement
>
> 请用上 "之所以……，是因为……"，例如：请假的学生之所以越来越多，是因为考试带给他们的压力太大了。

→ the reason why ……is because

3. 小组活动。Group work.

请你参考上面听到的情况，跟同学们说说为什么越来越多的人处于亚健康状态，他们的亚健康状态有哪几种表现。然后请一个同学代表本组向全班做口头报告。Referring to the situations you have heard earlier, talk with your group mates why more and more people are living in a sub-healthy state, how sub-healthy states manifest themselves. Then choose a representative to present your group's ideas to the class.

> **要 求** Requirement
>
> 请尽量用上学到的句子或常用表达式。

huo che fei zhi suo yi
yue lai yue gao, shi yin wei
xu yao xiu yi xia tie-gui ← tracks
huo che
chan

工作 dai gei ren person 太大了

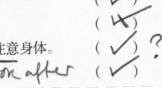

常用表达式

1 带给……人的心理压力…… 人

2 除了……就是……

3 处于亚健康状态

4 有时候睡着睡着…… white sleep

5 不知道怎么就…… don't know how

6 吃了药 再也睡不着了 人

7 年轻人 成了……的职业病 人

you de shi how xie zhe xie zhe bu zhi dao zen ne jiu shui jiao

第2课 笑一笑十年少

A smile can take years off your life

面对压力，你会选择什么方式解压呢？一个好的解压方式能帮助你更好地解决心理和身体的问题。我们看看下面这个人是怎么解压的。 When facing pressure, what method will you use to deal with it? A good method of dealing with pressure can help you to better solve mental and physical problems. Let's see how the person below deals with pressure.

🎧 3-03

前几天一个朋友跟我聊天，她觉得最近工作和生活的压力太大了，自己看起来好像**老**了很多，问我怎么才能让她看起来更**年轻**一点。

其实每个人都①<u>多多少少</u>地面对着来自不同方面的压力，每个人都有自己的**解压方式**，我也不**例外**。我是一个**急性子**的人，生活中、工作中都是如此。我②<u>宁可</u>在工作开始以前花很多时间去准备，然后把工作一次弄完，<u>也不</u>愿意花很长时间**反复**做一件事。在准备工作的时候，我会听听音乐，因为这样③<u>有助于</u>放松自己的心情。

作为一名**演员**，我总是要面对各种人对我的**评论**。一开始，看到那些评论的时候我真的很**难受**，但是慢慢地我想明白了。一个④**再完美**的人<u>也</u>不可能让所有人都喜欢，更⑤<u>何况</u>是我们这样的普通人呢？有人心情不好的时候，**会疯狂**地花钱买东西，无论是衣服、鞋子，还是各种**零食**，只要喜欢就都会买回来，但是我认为这种解压方式其实并不好，因为太**浪费**钱了。<u>当觉得没意思时</u>，我更喜欢约几个好朋友，高高兴兴地唱一晚上**卡拉OK**；在遇到麻烦的时候，我更愿意找几个好姐妹一起喝茶，跟她们**吐苦水**。

我认为无论发生什么，开心是最重要的。如果生气一分钟，你就浪费了60**秒**的快乐**时光**！如果每天都能放松心情，天天开心地工作生活，一定能让自己看起来更年轻。中国有句话，叫做"笑一笑十年少"，你相信吗？

Qián jǐ tiān yí ge péngyou gēn wǒ liáotiān, tā juéde zuìjìn gōngzuò hé shēnghuó de yālì tài dà le, zìjǐ kàn qǐlai hǎoxiàng lǎo le hěn duō, wèn wǒ zěnme cái néng ràng tā kàn qǐlai gèng niánqīng yìdiǎn.

Qíshí měi ge rén dōu ① duōduōshǎoshǎo de miànduì láizì bùtóng fāngmiàn de yālì, měi ge rén dōu yǒu zìjǐ de jiěyā fāngshì, wǒ yě bú lìwài. Wǒ shì yí ge jíxìngzi de rén, shēnghuó zhōng, gōngzuò zhōng dōu shì rúcǐ. Wǒ ② nìngkě zài gōngzuò kāishǐ yǐqián huā hěn duō shíjiān qù zhǔnbèi, ránhòu bǎ gōngzuò yí cì nòng wán, yě bú yuànyì huā hěn cháng shíjiān fǎnfù zuò yí jiàn shì. Zài zhǔnbèi gōngzuò de shíhou, wǒ huì tīngtīng yīnyuè, yīnwèi zhèyàng ③ yǒuzhùyú fàngsōng zìjǐ de xīnqíng.

Zuòwéi yì míng yǎnyuán, wǒ zǒng shì yào miànduì gè zhǒng rén duì wǒ de pínglùn. Yì kāishǐ, kàn dào nàxiē pínglùn de shíhou wǒ zhēn de hěn nánshòu, dànshì mànman de wǒ xiǎng míngbái le. Yí ge ④ zài wánměi de rén yě bù kěnéng ràng suǒyǒu rén dōu xǐhuan, gèng ⑤ hékuàng shì wǒmen zhèyàng de pǔtōngrén ne? Yǒurén xīnqíng bù hǎo de shíhou, huì fēngkuáng de huāqián mǎi dōngxi, wúlùn shì yīfu, xiézi, háishì gè zhǒng língshí, zhǐyào xǐhuan jiù dōu huì mǎi huílai, dànshì wǒ rènwéi zhè zhǒng jiěyā fāngshì qíshí bìng bù hǎo, yīnwèi tài làngfèi qián le. Dāng juéde méi yìsi shí, wǒ gèng xǐhuan yuē jǐ ge hǎo péngyou, gāogāoxìngxìng de chàng yì wǎnshang kǎlā OK; zài yù dào máfan de shíhou, gèng yuànyì zhǎo jǐ ge hǎo jiěmèi yìqǐ hēchá, gēn tāmen tǔtǔ kǔshuǐ.

Wǒ rènwéi wúlùn fāshēng shénme, kāixīn shì zuì zhòngyào de. Rúguǒ shēngqì yì fēnzhōng, nǐ jiù làngfèi le liùshí miǎo de kuàilè shíguāng! Rúguǒ měitiān dōu néng fàngsōng xīnqíng, tiāntiān kāixīn de gōngzuò shēnghuó, yídìng néng ràng zìjǐ kàn qǐlai gèng niánqīng. Zhōngguó yǒu jù huà, jiào zuò "xiào yí xiào shí nián shào", nǐ xiāngxìn ma?

laidback
↳ manxingzi

词语 Vocabulary 🎧 3-04

1	老	lǎo	adj	old
2	年轻	niánqīng	adj	young
3	解压	jiěyā	v	deal with pressure
4	方式	fāngshì	n	method
5	例外	lìwài	v/n	be an exception; exception

6	急性子	jíxìngzi	adj/n	impatient; impatient person
7	反复	fǎnfù	adv	repeatedly
8	演员	yǎnyuán	n	actor, actress
9	评论	pínglùn	n/v	comment; comment on
10	难受	nánshòu	adj	uncomfortable

地
fanfu de zuo
fan fu de shuo

exceptions

25
wuliao boring

11	完美	wánměi	adj	perfect
12	疯狂	fēngkuáng	adj	crazy
13	零食	língshí	n	snack
14	浪费	làngfèi	v	waste

15	卡拉OK	kǎlā OK		karaoke
16	吐苦水	tǔ kǔshuǐ		air one's grievances
17	秒	miǎo	n	second
18	时光	shíguāng	n	time

语言点 Language Points

① 多少

副词，表示或多或少、稍微，可以重叠为"多多少少"。常跟"一点儿、一些"等搭配使用。多少 is an adverb meaning *to a greater* or *lesser extent*, or *slightly*. It can be reduplicated as 多多少少 and often used with expressions such as 一点儿 or 一些.

(1) 我对这个人多少了解一些。

(2) 这块面包这么大，你肯定吃不了，多多少少给我一点儿吧。

(3) 奶奶的病比上个星期多多少少好了一点儿。

☞(4) 每个人都多多少少地面对着来自不同方面的压力。

练一练 Practice

(1) 减肥的时候不能不吃饭，_____。

(2) 虽然快考试了，但是你也不能一直学习，_____。

(3) 要是你不清楚那件事，就问问朋友，_____。

② 宁可……也不……

表示在比较利害得失之后选取一种做法。"宁可"一般用在动词前，也可以用在主语前。宁可……也不…… indicates that after a comparison between the advantages and disadvantages, a method is selected. 宁可 is usually used before the verb, or the subject in a sentence.

(1) 山本宁可每天去饭馆（restaurant）吃，也不想自己在家做饭。

(2) 宁可我不吃，也不能让孩子饿着。

(3) 很多孩子宁可生病，也不喜欢吃药。

☞(4) 我宁可在工作开始以前花很多时间去准备，然后把工作一次弄完，也不愿意花很长时间反复做一件事。

练一练 Practice

(1) 北京常常堵车，我宁可走路去，_____。

(2) 同学们宁可不上课，_____。

(3) _____，也不租这么贵的房子。

zhu

③ 有助于

动词，表示对某人或某事有帮助。有助于 is a verb meaning to *give help to someone or on something*.

(1) 看中国电影有助于提高汉语听力水平。

(2) 经常锻炼身体，有助于保持身体健康。

(3) 多跟中国人聊天，有助于了解中国人的生活。

☞(4) **在准备工作的时候，我会听听音乐，因为这样有助于放松自己的心情。**

> 练一练 Practice
>
> (1) 我需要把汉语学好，＿＿＿＿＿＿＿＿＿＿。
>
> (2) 紧张的时候看看电影，＿＿＿＿＿＿＿＿＿＿。
>
> (3) 考试以前放松心情，＿＿＿＿＿＿＿＿＿＿。

④ 再……也…… *no matter how*

表示让步的假设句，"再"含有"即使"或"无论怎么"的意思，后面常用"也"配合。再……也…… expresses a concession in a hypothetical sentence. 再 contains the meaning of 即使 (*even if*) or 无论怎么 (*no matter how*), and is often followed by 也.

(1) 你再怎么说，他也不会听的。 *No matter how you say it, he is not going to listen*

(2) 咱们再等也是这么几个人，还是别等了。 *however long you wait they aren't coming*

(3) 这件衣服不适合你，再便宜也不应该买。 *these clothes don't suit you, no matter how cheap they are, don't buy them!*

☞(4) **一个再完美的人也不可能让所有人都喜欢。** *however perfect you are not everyone will like you.*

> 练一练 Practice
>
> *weather ye ming*
>
> (1) 冬天天气再冷＿＿＿＿＿＿＿＿＿＿。
>
> (2) ＿＿＿＿＿＿＿＿＿＿，也不能每天玩游戏。
>
> (3) 安妮汉字学得特别好，＿＿＿＿＿＿＿＿＿＿。

⑤ 何况 *He Kuang – let alone, not to mention, nevertheless*

连词，用反问语气表示比较起来更进一层的意思。用于后一小句句首，后一小句谓语与前一小句的谓语相同时，不重复。"何况"前面可以加"更、又"。As a conjunction, 何况 is used with an inquisitive tone to express the meaning of going further in comparison. It is used at the beginning of a following clause, when the predicates of the preceding and following clauses are the same and not repeated. 何况 can be preceded by 更 or 又.

(1) 他本来跑步跑得就很慢，何况他今天病了。 *Normally slow anyway, today he's ill so he'll be even slower!*

(2) 那么难的汉字玛丽都会写，更何况这个汉字呢。 *, let alone such a simple word.*

(3) 他很喜欢喝啤酒，十瓶都能喝完，何况这两瓶呢。 *so these two should not be a problem*

☞(4) **一个再完美的人也不可能让所有人都喜欢，更何况是我们这样的普通人呢？**

练一练 Practice

(1) 王小明考试的时候都迟到（late），＿＿＿＿＿＿＿＿＿。

(2) 这条裤子他穿起来都短，＿＿＿＿＿＿＿＿＿。

(3) 飞机10点起飞，8点到机场都来不及，＿＿＿＿＿＿＿＿＿。

活动 Activities

1. **根据课文问答**。Ask and answer according to the text.

(1) "我"的朋友最近遇到了什么问题？

(2) "我"喜欢什么样的工作方式？

(3) "我"为什么在准备工作时喜欢听音乐？

(4) "我"做什么工作？刚开始工作的时候，"我"遇到了什么问题？

(5) "我"心情不好时会怎么办？你觉得这个方法好不好？

2. **结合你对课文的理解，在下面各个句子的基础上，接着每个句子再口头表述一个完整的意思**。Based on your understanding of the text, present orally a complete meaning of each sentence below.

(1) 妈妈是个急性子的人，……

(2) 玛丽是我的好朋友。作为一名演员，她……

(3) 无论发生什么，开心最重要，所以……

3. **口语活动**。Speaking activities.

1 双人活动。Pair work.

每个人都有自己的解压方式，请你调查一下身边的几个同学，看看他们用什么方法解压，并记在下面的表中。再请你说一说你觉得他们的方式怎么样，为什么。Everyone has their own methods of dealing with pressure. Inquire into your classmates, find out how they deal with pressure and take notes in the table below. What do you think of their methods? Why?

名字	解压方式
1.	
2.	
3.	
4.	
5.	

②小组活动。Group work.

你觉得现在有压力吗？以前呢？比如参加考试的时候、找工作面试的时候等等。请结合自己的实际情况，说一说自己面对过什么样的压力，为什么会有压力，你是怎么解压和解决问题的。然后请一个同学代表本组向全班报告。Are you under pressure now? How about before, for example at exam time or in a job interview? According to your real life situation, talk about the pressures that you have faced. Why do you have these pressures? How do you deal with pressure and solve problems? Then choose a representative to present your group's ideas to the class.

要 求 Requirement

请尽量用上学到的句子或常用表达式。

常用表达式

1 多多少少	**2** 宁可……，也不……	**3** ……有助于……
4 作为……，……	**5** 再……也……	**6** 更何况……
	7 无论……都……	**8** 如果……，一定能……

4

Yúkuài　Lǚxíng

愉快旅行

A Pleasant Trip

1. 任务介绍 Introduction

　　放假的时候，很多人都会选择去旅行。每个人因为时间、收入、性格等不同，会选择不同的旅行地点和方式。在这个单元里，我们会先听到一些人选择了适合自己的旅行方式，再看看一个留学生在旅行中的经历和收获。During the holidays, many people will choose to go traveling. Because everyone is different in time, money and characters, they will choose different destinations and methods of travel. In this unit, we will firstly listen to some people talk about their different methods of travel, and then will read an international student's experiences and gains from his trip.

2. 热身活动 Warm-Up

1. 看看下面的图片，说说他们去哪儿旅行了。你最喜欢去哪儿？为什么？
Look at the pictures below and say where they are traveling. Where do you like to go most? Why?

A B

ye shi

C

gucheng

D

2. 说一说下面图片里的人是怎么去旅行的。你喜欢哪种方式？为什么？如果是去上题图片里的四个地方去旅行，你会选择怎么去？
Try to say how the people in the pictures below are traveling. Which method of travel do you prefer, and why? If you were going to travel to the places in the four pictures above, how would you get there?

A

B

C

D

第 **1** 课　旅行百科书

Travel encyclopedia

现在有很多种旅行方式，每种方式都有自己的好处和坏处，适合不同的人。下面我们就听听这三个人选择的旅行方式。Nowadays, there are many ways to travel, each having their advantages and disadvantages and being suitable for different people. Next, we will hear three people talking about their different travel methods.

1 听 Listen 🎧 4-01

听录音，猜一猜下面词语的意思，并将每个词语与相应的翻译连线。Listen to the recording to guess the meaning of the words and match each word with their corresponding translation.

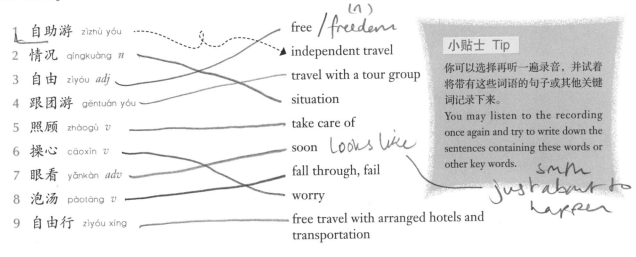

1. 自助游 zìzhù yóu — free / freedom (n)
2. 情况 qíngkuàng *n* — independent travel
3. 自由 zìyóu *adj* — travel with a tour group
4. 跟团游 gēntuán yóu — situation
5. 照顾 zhàogù *v* — take care of
6. 操心 cāoxīn *v* — soon looks like
7. 眼看 yǎnkàn *adv* — fall through, fail
8. 泡汤 pàotāng *v* — worry
9. 自由行 zìyóu xíng — free travel with arranged hotels and transportation

> **小贴士 Tip**
>
> 你可以选择再听一遍录音，并试着将带有这些词语的句子或其他关键词记录下来。
> You may listen to the recording once again and try to write down the sentences containing these words or other key words.
>
> smth
> just about to happen

2 听和说 Listen and Speak

1. 请听第二遍录音，判断对错。Listen to the recording for the second time, decide if the sentences are true or false. 🎧 4-01

(1) 朋友带王明和他女朋友一起去海南旅游了。　　　(✓)

(2) 去海南以前，王明已经自助游去过别的地方了。　　(✗)

(3) 自助游什么事都得自己安排，想怎么玩就怎么玩。　(✓)

(4) 张先生打算只让老人和孩子跟旅行团到云南旅行。　(✗)

31

[handwritten top margin: yuding - book　queding - confirm　yueding - date meeting]

[handwritten: zhukou　shengqian]

(5) 跟团游的机票、酒店有比较低的折扣，比自助游省钱。　　　　(✓)

(6) 这个说话人应该在旅行公司工作。　　　　(✓)

(7) 如果你是跟团游，旅行中什么事都不用你操心。　　　　(✓)

[handwritten left margin: both... and... (must match)]

[handwritten: didn't make it]

(8) 李小姐放假前没有做旅游准备，所以没去成英国。　　　　(✗) *[xinde fangzi]*

(9) "自由行"适合既喜欢自由旅行，又不想操心的人。　　　　(✓)

(10) "自由行"和"跟团游"的机票都比"自助游"便宜不少。　　　　(✓)

[handwritten: very cheap]

☆　**2. 双人活动**。Pair work.

① 请听第三遍录音，根据表格提示记录你听到的要点。Listen to the recording for the third time, take notes of the main points according to the hints in the following table. 🎧 4-01

方式 Patterns	好处 Advantages	坏处 Disadvantages
自助游	自由 想做什么就做什么，想去那儿就去那儿。	麻烦
跟团游	折扣 容易安排	不自由 不想怎么玩就怎么玩。
自由行	适合既喜欢自由旅行，又不想操心的人。	

② 请你根据自己的听力记录，跟同伴讨论一下刚才听到的三种旅行方式都有什么好处，然后再想想这三种方式除了好处以外，有什么坏处。Use your listening notes to discuss with you partner the advantages of each of the three methods of traveling which you have just heard, then think about what their disadvantages may be.

要　求　Requirement
请用上"虽然……，但是……"，例如：虽然比较麻烦，但是非常自由。

3. **小组活动。** Group work.

请参考上面听到的几个人的旅行方式，结合自己的一次旅行经历，跟同学们说说你喜欢什么方式，为什么。然后请一个同学代表本组向全班做口头报告。Referring to the methods of travel you have just heard, and with one of your own travel experiences, tell your group mates what kind of travel you prefer and why. Then choose a representative to present your group's ideas to the class.

要 求 Requirement

请尽量用上学到的句子或常用表达式。

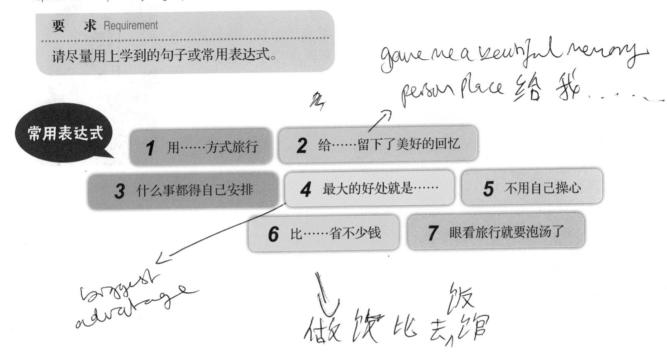

常用表达式

1 用……方式旅行

2 给……留下了美好的回忆

3 什么事都得自己安排

4 最大的好处就是……

5 不用自己操心

6 比……省不少钱

7 眼看旅行就要泡汤了

gave me a beautiful memory
person place 给我……

biggest advantage

做饭比去饭馆

第2课 读万卷书，行万里路

Dú wàn juàn shū, xíng wàn lǐ lù

Read 10,000 books and travel 10,000 miles

旅行不但能放松心情，还能带给我们各种各样的收获，教给我们很多书本上没有的知识。下面我们就看看这位在中国旅行的留学生，看看他有什么收获。Traveling not only relaxes our minds, but can bring us all kinds of benefits. It teaches us all kinds of knowledge which we can't find in books. Next, we will read how an international student has been traveling in China, and what he has gained from the experiences.

4-02

　　我已经学习一年多汉语了，虽然有时候还是听不懂中国人说什么，但是现在很多问题我都能自己**解决**，所以还没放假我就开始准备在中国的第一次自助游了。

　　中国人常说"上有天堂，下有苏杭"，意思就是苏州、杭州这些**南方城市**像天堂一样，特别美。这次旅行我去了中国南方很多地方，①既去了上海这样的国际大城市，又到过苏州那样**安静**的小城市，每个地方都有它**独特**的**魅力**。旅行带给我很多**收获**，不仅**欣赏**了美丽的**自然**风景，而且还了解了一些**当地**的**风俗**习惯，吃到了各地很多不同的特色菜。

　　在路上，我常常听不懂当地人说的话。一个中国人②笑着告诉我，中国各地都有自己的**方言**。有些方言听起来差不多，有些方言却非常不一样。③总的来说，中国差不多有七种不同的方言。所以很多中国人到不同的地方旅游，也常常觉得很难跟只会说当地方言的人**交流**。不过，④幸好大部分人都会说**普通话**，不然中国人得学习多少种"**外语**"呢！

　　去旅行前，我就听说中国有56个**民族**，每个民族都有自己独特的文化。到了中国南方才发现，⑤果然如此。特别是一些少数民族都穿着独特的民族**服装**，**戴**着漂亮的民族**饰品**，说着自己的民族语言，吃着好吃

的民族饭菜。这些中国人非常**热情**，一路上总有人跟我聊天，有时还会

请我到他们家里喝自己做的酒。

旅行的路上我拍了很多照片，朋友们看了以后都很羡慕我。这真是

一次愉快的旅行经历！

Wǒ yǐjīng xuéxí yì nián duō Hànyǔ le, suīrán yǒu shíhou hái shì tīngbudǒng Zhōngguórén shuō shénme, dànshì xiànzài hěn duō wèntí wǒ dōu néng zìjǐ jiějué, suǒyǐ hái méi fàngjià wǒ jiù kāishǐ zhǔnbèi zài Zhōngguó de dì-yì cì zìzhù yóu le.

Zhōngguórén cháng shuō "shàng yǒu tiāntáng, xià yǒu Sū Háng", yìsi jiùshì Sūzhōu, Hángzhōu zhèxiē nánfāng chéngshì xiàng tiāntáng yíyàng, tèbié měi. zhè cì lǚxíng wǒ qù le Zhōngguó nánfāng hěn duō dìfang, ①jì qù le Shànghǎi zhèyàng de guójì dà chéngshì, yòu dàoguò Sūzhōu nàyàng de ānjìng de xiǎo chéngshì, měige dìfang dōu yǒu tā dútè de mèilì. Lǚxíng dàigěi wǒ hěn duō shōuhuò, bùjǐn xīnshǎng le měilì de zìrán fēngjǐng, érqiě hái liǎojiě le yìxiē dāngdì de fēngsú xíguàn, chīdào le gè dì hěn duō bùtóng de tèsècài.

Zài lùshang, wǒ chángcháng tīngbudǒng dāngdìrén shuō de huà. Yí ge Zhōngguórén ②xiàozhe gàosu wǒ, Zhōngguó gè dì dōu yǒu zìjǐ de fāngyán. Yǒuxiē fāngyán tīng qǐlai chàbuduō, yǒuxiē fāngyán què fēicháng bù yíyàng. ③Zǒng de lái shuō, Zhōngguó chàbuduō yǒu qī zhǒng bùtóng de fāngyán. Suǒyǐ hěn duō Zhōngguórén dào bùtóng de dìfang lǚyóu, yě chángcháng juéde hěn nán gēn zhǐ huì shuō dāngdì fāngyán de rén jiāoliú. Búguò, ④xìnghǎo dà bùfen rén dōu huì shuō pǔtōnghuà, bùrán Zhōngguórén děi xuéxí duōshao zhǒng "wàiyǔ" ne!

Qù lǚxíng qián, wǒ jiù tīngshuō Zhōngguó yǒu wǔshíliù ge mínzú, měige mínzú dōu yǒu zìjǐ dútè de wénhuà. Dào le Zhōngguó nánfāng cái fāxiàn, ⑤guǒrán rúcǐ. Tèbié shì yìxiē shǎoshù mínzú dōu chuānzhe dútè de mínzú fúzhuāng, dàizhe piàoliang de mínzú shìpǐn, shuōzhe zìjǐ de mínzú yǔyán, chīzhe hàochī de mínzú fàncài. Zhèxiē Zhōngguórén fēicháng rèqíng, yí lùshang zǒng yǒurén gēn wǒ liáotiān, yǒushí hái huì qǐng wǒ dào tāmen jiāli hē zìjǐ zuò de jiǔ.

Lǚxíng de lùshang wǒ pāi le hěn duō zhàopiàn, péngyoumen kàn le yǐhòu dōu hěn xiànmù wǒ. Zhè zhēn shì yí cì yúkuài de lǚxíng jīnglì!

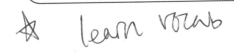

☆ learn vocab

词语 Vocabulary 🎧4-03

☆1	解决	jiějué	v	solve (wènti)	3	城市	chéngshì	n	city
2	南方	nánfāng	n	south	4	安静	ānjìng	adj	quiet

35

56个民族, 56朵花

5 独特	dútè	*adj*	unique	
6 魅力	mèilì	*n*	charm	
7 收获	shōuhuò	*n/v*	gain; harvest	
8 欣赏	xīnshǎng	*v*	appreciate	
9 自然	zìrán	*n/adj/adv*	nature; natural; naturally	
10 当地	dāngdì	*n*	local	
11 风俗	fēngsú	*n*	custom	
12 方言	fāngyán	*n*	dialect	
13 交流	jiāoliú	*v*	communicate	
14 普通话	pǔtōnghuà	*n*	standard Chinese	
15 外语	wàiyǔ	*n*	foreign language	
16 民族	mínzú	*n*	ethnic group	
17 服装	fúzhuāng	*n*	clothing	
18 戴	dài	*v*	wear	
19 饰品	shìpǐn	*n*	accessory	
20 热情	rèqíng	*adj*	(warm-hearted)	

Anyuan de jijie

自然保护区 ← *nature reserve*

系/戴/穿
tie/wear/wear
fasten

rixin is warm hearted
hospital e / frequer

语言点 Language Points

① 既……又……

固定结构，表示同时具有两个方面的性质或状况。可以连接并列关系的词，也可以连接并列关系的短语或者句子。既……又…… is a fixed structure indicating that two properties or conditions exist simultaneously. It can connect related words together as well as related expressions or sentences.

(1) 玛丽<u>既</u>想吃包子<u>又</u>想吃面条。

(2) 他刚到中国的时候，<u>既</u>想买这个，<u>又</u>想买那个。 *wanted to buy everything*

(3) 田中<u>既</u>会说日语，<u>又</u>会说汉语。

☞(4) **<u>既</u>去了上海这样的国际大城市，<u>又</u>到过苏州那样安静的小城市。**

Write sentences for language points

练一练 Practice

坐着不动 – sit on your arse

(1) 减肥的时候既不能吃太多，<u>又不能什么都不吃。</u>

(2) 马丁有很多爱好，既想 _____，又喜欢游泳。

(3) 你买的这件衣服，_____ 。

jì piàn yì

② 动词+着

"着"是动态助词。①动词或形容词后边加上"着"，表示某动作行为或状态的持续，常跟"正、正在、在、呢"连用；②表示某动作行为结束后所产生的状态在持续着；③表示伴随，用于"动词1+着+动词2"，表示两个动作同时进行，前一个动作是后一个动作伴随的状态或进行的方式。着 is an aspect particle. ① Adding 着 after a verb or an adjective indicates that the ongoing action or its state is continuing or sustained. ② Often used together with 正, 正在, 在 or 呢, it indicates that the states of the results of an action are continuous or sustained. ③ "Verb1 + 着 + verb2" indicates that both actions occur simultaneously. The first action happens as the second continues.

(1) 教室的门一直开<u>着</u>。②

(2) 他拿<u>着</u>一本汉语书。①

☞(3) 一个中国人笑<u>着</u>告诉我，中国各地都有自己的方言。③

☞(4) 一些少数民族都穿<u>着</u>独特的民族服装，戴<u>着</u>漂亮的民族服饰，说<u>着</u>自己的民族语言。①

练一练 Practice

(1) 口袋里 <u>装着钥匙</u> 。

(2) 今天她很漂亮，<u>穿着很美丽的</u>。 *chuanzi*

(3) 他们来自不同的国家，_____。

3 总的来说

常用表达式，常用作插入语，表示从总体上评论、从主要情况来评论。As a frequently used expression, 总的来说 is often used parenthetically to indicate that comments will be made from a general, or from a main point of view.

(1) 这个国家人们的生活，<u>总的来说</u>是幸福的。

(2) <u>总的来说</u>，他的好朋友不是很多。

(3) <u>总的来说</u>，很多大城市上下班时间都常常堵车。

☞(4) <u>总的来说</u>，中国差不多有七种不同的方言。

练一练 Practice

(1) 我虽然有不同的想法，_____。

(2) 马丁最近感冒了两次，_____。

(3) 那套房子离学校有点儿远，_____。

4 幸好……不然……

固定结构，表示由于别人的帮助或某种原因，避免了不好的事情发生。"幸好"多用在主语前面，"不然"后面是不好的或者不希望发生的后果。幸好……不然…… is a fixed structure which indicates that through the help of other people or some other reason, something negative has been prevented from happening. 幸好 is usually used before the subject, while 不然 is followed by something negative or a result that one would hope not to happen.

(1) <u>幸好</u>我们走了这条路，<u>不然</u>现在还回不来呢。

(2) <u>幸好</u>你没去，<u>不然</u>他肯定不高兴。

(3) <u>幸好</u>玛丽穿的衣服多，<u>不然</u>她一定会感冒。

☞(4) <u>幸好</u>大部分人都会说普通话，<u>不然</u>中国人得学习多少种"外语"呢!

练一练 Practice

(1) _____，不然上课就迟到了。

(2) 幸好我记得她的生日，＿＿＿＿＿＿＿＿。

(3) 今天是周末，＿＿＿＿＿＿＿＿。

5 果然

副词，表示事实跟预想的或者别人说的一样。用在动词或形容词前面，还可以用在主语前面。

果然 is an adverb which indicates that the outcome was as predicted, or as others said would be the case. It precedes a verb or an adjective, and can also be used before the subject.

(1) 天气预报说今天有雨，今天<u>果然</u>下雨了。

(2) 这种药非常好，吃了两天他的病<u>果然</u>好了。

(3) 听说这部电影不错，看了以后<u>果然</u>很好看。

☞ **(4) 到了中国南方才发现，<u>果然如此</u>。**

练一练 Practice

(1) 听朋友说那个饭馆的菜又好吃又便宜，＿＿＿＿＿＿＿＿。

(2) 我们都觉得你还会迟到，＿＿＿＿＿＿＿＿。

(3) 他说他一定会来参加我的生日晚会，＿＿＿＿＿＿＿＿。

活动 Activities

1. 根据课文问答。 Ask and answer according to the text.

(1) "我"现在的汉语水平怎么样？

(2) "我"都去哪儿旅行了？

(3) 在这次旅行中，"我"有什么收获？

(4) 中国人到不同的地方旅行可能会遇到什么问题？为什么？

(5) 中国有多少个民族？它们都有什么特点？

2. 结合你对课文的理解，在下面各个句子的基础上，接着每个句子再口头表述一个完整的意思。 Based on your understanding of the text, present orally a complete meaning of each sentence below.

(1) 我喜欢到各地去旅行，每个地方都有它独特的魅力。……

(2) 前几天朋友从中国旅行回来，给我们讲了很多有意思的事情，……

(3) 壮（zhuàng）族是生活在中国南方的一个少数民族，……

3. 口语活动。Speaking activities.

① **双人活动**。Pair work.

请你问问你的同伴现在最想去哪几个地方旅行，并说说为什么想去那些地方旅行。比较一下你们的旅行兴趣是不是一样。Ask your partner where he/she would most like to go traveling, and why he/she would like to go to those places. Compare if your interests in travel are the same or not.

② **小组活动**。Group work.

旅行是很多人的爱好，能给我们的生活带来难忘的经历和收获，这些经历可能是愉快的，也可能让人不太舒服。现在请你跟同学们分享一下你最难忘的一次旅行经历，并分别说说你们最大的收获。Travel is a hobby for many people, which can bring many unforgettable experiences and benefits to our lives. These experiences cannot only be happy, but can also make people feel uncomfortable. Now share your most unforgettable travel experience with your group mates, and talk about the greatest gains you received from it.

要 求 Requirement

请尽量用上学到的句子或常用表达式。

常用表达式

1 既……又……	2 ……带给……	3 不仅……而且……
4 总的来说，……	5 幸好……不然……	6 果然	7 动词+着

5

Wǎngluò　　　Gòuwù

网络购物
Online Shopping

1. 任务介绍　Introduction

你在网络上买过东西吗？很多人都有网络购物的经验，或者准备在网络上购物。在这一单元，我们将听到一些人的"网购"经历，再会测测网络购物时，人们都是什么样的心理，看看你是哪类人。Have you bought things online? Many people have online shopping experience, or are ready to begin shopping on the Internet. In this unit we will listen to some people tell us about their online shopping experiences. Then we will infer the mentality of online shoppers, and find out various types of people performing this action and to which category you belong.

2. 热身活动　Warm-Up

1. 猜猜这是什么网站？人们在这里能做什么？

Can you guess what kind the website this is? What can people do on this website?

2. 你知道在中国有哪些有名的购物网站吗？在你们国家呢？

Do you know any of the famous Chinese shopping websites? How about in your country?

第**1**课 你"网购"过吗?

Nǐ "wǎnggòu" guò ma?

Have you ever bought online?

很多人都有网络购物的经历,有的令人愉快,有的让人失望。下面我们就听听三个人的不同网购经历。Many people have buying online experiences. Some are pleasant, while others are disappointing, Now let's listen to the shopping online experiences of three persons.

1 听 Listen 🎧 5-01

听录音,猜一猜下面词语的意思,并将每个词语与相应的翻译连线。Listen to the recording to guess the meaning of the words and match each word with their corresponding translation.

1 挑选 tiāoxuǎn *v*   bargain

2 运费 yùnfèi *n*   go shopping

3 逛街 guàngjiē *v*   return goods

4 满意 mǎnyì *adj*   end inconclusively

5 卖家 màijiā *n*   choose

6 讨价还价 tǎojià huánjià   relaxed

7 轻松 qīngsōng *adj*   seller

8 电脑 diànnǎo *n*   delivering costs

9 退货 tuìhuò *v*   computer

10 不了了之 bù liǎo liǎo zhī   satisfied

> **小贴士 Tip**
>
> 你可以选择再听一遍录音,并试着将带有这些词语的句子或其他关键词记录下来。
>
> You may listen to the recording once again and try to write down the sentences containing these words or other key words.

2 听和说 Listen and Speak

1. 请听第二遍录音,判断对错。Listen to the recording for the second time, decide if the sentences are true or false. 🎧 5-01

(1) "我"住在一个小城市里,那里没有大商场。   (   )

(2) 因为在商场里买东西不能挑选,所以"我"常常网购。   (   )

(3) "我"觉得网络购物能比在商场里买东西省很多钱。   (   )

(4) 在网上"我"能买到不少当地商场里没有的东西。   (   )

(5)"我"一直没时间逛街，因为工作太忙了，所以经常在网上购物。（　　）

(6)"我"认为在网上买东西很轻松。（　　）

(7)"我"在网上买来的东西差不多都很满意。（　　）

(8)"我"觉得网上买的衣服跟电脑上的照片和介绍一样。（　　）

(9)"我"觉得运费不太贵，所以打算退货。（　　）

(10)这三个人对网络购物各有不一样的想法。（　　）

2. **双人活动**。Pair work.

① 请听第三遍录音，根据表格提示记录你听到的要点。Listen to the recording for the third time, take notes of the main points according to the hints in the following table.　5-01

网络购物

	好 处 *Advangtages*	坏 处 *Disadvantages*
网络 Online	1. 便宜 2. 能买到不少当地没有的东西	
商场 Shopping Malls		

② 网络购物有好处，也有坏处。请你根据自己的听力记录，跟同伴讨论一下，网络购物有哪些好处和坏处。 Shopping online has its advantages and disadvantages. Use your listening notes to discuss with your partner the pros and cons of shopping online.

要　求 Requirement

请用上"不但……而且（还）……"和"对我来说，……"，例如：网络购物不但比商场便宜，而且还能买到当地没有的东西；对我来说，我不喜欢网络购物。

3. **小组活动**。Group work.

请你参考这三个人的经历，说说为什么有的人喜欢网络购物，有的人喜欢逛街买东西。然后请一个同学代表本组向全班做口头报告。Referring to the experiences of these three people, discuss with your group mates why some people like to shop online while others like to go out shopping. Then choose a representative to present your group's ideas to the class.

> **要　求** Requirement
>
> 请尽量用上学到的句子或常用表达式。

常用表达式

1 没有什么可以挑选的　　**2** 比在商场里买便宜得多

3 比逛街轻松不了多少　　**4** 谁让……呢　　**5** 只要你多看看，……

6 跟……差远了　　**7** 不了了之

第2课 谁是"网购"迷?

Shuí shì "wǎnggòu" mí?

Who is a fan of online shopping?

现在网络购物受到越来越多人的欢迎。网络购物的时候，你是什么样的心理呢？现在就来测一下你属于哪类人吧。Nowadays, shopping online is welcomed by more and more people. What's your mentality when you're shopping online? Let's find out to which category of online shopper you belong.

5-02 如果你和朋友在电影院看电影，旁边有个人接电话接了很久，你会怎么做呢？

A. 用大声咳嗽（cough）的方式让他明白这样不好。

B. 跟朋友聊电影，让他没办法继续打电话。

C. 直接告诉他。

D. 没关系，继续看电影。

你**选**完了吗？现在请看下面的**答案**。

答案：

A. **犹豫**、**感性**是你的特点。虽然那些特别漂亮的**商品**照片一定会让你产生很大的兴趣，不过你很难真的做出**行动**。就算看上了什么，也是真的需要，你还是会好好比较每个网店的商品，①<u>甚至</u>在就要买的时候，<u>也</u>可能突然不了了之。

B. 你很**执著**，**痴迷**网购，因为你觉得这很有意思。只要有时间，你就会**守**在电脑前，无论是不是需要的东西，只要网上说好，你都会买。②<u>就</u>算有时候**受骗**，买的东西不满意，<u>也</u>会被你当做是**运气**不好。

C. 你是一个**冲动**的人，一般不会多考虑，喜欢了就买。**讨厌**在行动之前想太多,觉得这一点儿也没**必要**,③<u>大不了</u>就当做是个教训,**后悔**是以后的事。不仅自己喜欢会买,有时候别人说不错,你也会冲动**出手**。

D. 对于网购,你冷静、**理性**,④<u>如非必要</u>,**基本**上不会去看那些购物网站。买东西以前,你都会冷静地考虑一下这个东西有没有用,不会只想商品打折不打折,更别说⑤<u>为</u>**贪图**便宜<u>而</u>**草率**购物。对于不了解的商品,你根本不会考虑网购。

Rúguǒ nǐ hé péngyou zài diànyǐngyuàn kàn diànyǐng, pángbiān yǒu ge rén jiē diànhuà jiē le hěn jiǔ, nǐ huì zěnme zuò ne?

A. Yòng dàshēng késou de fāngshì ràng tā míngbai zhèyàng bù hǎo.

B. Gēn péngyou liáo diànyǐng, ràng tā méi bànfǎ jìxù dǎ diànhuà.

C. Zhíjiē gàosu tā.

D. Méi guānxi, jìxù kàn diànyǐng.

Nǐ xuǎnwán le ma? Xiànzài qǐng kàn xiàmiàn de dá'àn.

Dá'àn:

A. Yóuyù, gǎnxìng shì nǐ de tèdiǎn. Suīrán nàxiē tèbié piàoliang de shāngpǐn zhàopiàn yídìng huì ràng nǐ chǎnshēng hěn dà de xìngqù, búguò nǐ hěn nán zhēn de zuòchū xíngdòng. Jiùsuàn kànshang le shénme, yě shì zhēn de xūyào, nǐ hái shì huì hǎohao bǐjiào měi ge wǎngdiàn de shāngpǐn, ①<u>shènzhì</u> zài jiùyào mǎi de shíhou, <u>yě</u> kěnéng tūrán bù liǎo liǎo zhī.

B. Nǐ hěn zhízhuó, chīmí wǎnggòu, yīnwèi nǐ juéde zhè hěn yǒu yìsi. Zhǐyào yǒu shíjiān, nǐ jiù huì shǒu zài diànnǎo qián, wúlùn shì bu shì xūyào de dōngxi, zhǐyào wǎngshang shuō hǎo, nǐ dōu huì mǎi. ②<u>Jiùsuàn yǒushíhou shòupiàn</u>, mǎi de dōngxi bù mǎnyì, <u>yě</u> huì bèi nǐ dàngzuò shì yùnqi bù hǎo.

C. Nǐ shì yí ge chōngdòng de rén, yìbān bú huì duō kǎolǜ, xǐhuan le jiù mǎi. Tǎoyàn zài xíngdòng zhīqián xiǎng tài duō, juéde zhè yìdiǎnr yě méi bìyào, ③<u>dàbuliǎo</u> jiù dàngzuò shì ge jiàoxun, hòuhuǐ shì yǐhòu de shì. Bùjǐn zìjǐ xǐhuan huì mǎi, yǒushíhou biéren shuō búcuò, nǐ yě huì chōngdòng chūshǒu.

D. Duìyú wǎnggòu, nǐ lěngjìng, lǐxìng, ④<u>rú fēi bìyào</u>, jīběn shàng bú huì qù kàn nàxiē gòuwù wǎngzhàn. Mǎi dōngxi yǐqián, nǐ dōu huì lěngjìng de kǎolǜ yíxià zhège dōngxi yǒu méiyǒu yòng, bú huì zhǐ xiǎng shāngpǐn dǎzhé bù dǎzhé, gèng biéshuō ⑤<u>wèi</u> tāntú piányi <u>ér</u> cǎoshuài gòuwù. Duìyú bù liǎojiě de shāngpǐn, nǐ gēnběn bú huì kǎolǜ wǎnggòu.

词语 Vocabulary 🎧 5-03

1	选	xuǎn	*v*	choose
2	答案	dá'àn	*n*	answer
3	犹豫	yóuyù	*adj*	hesitating
4	感性	gǎnxìng	*adj*	sensible

5	商品	shāngpǐn	n	goods	13	讨厌	tǎoyàn	v	hate
6	行动	xíngdòng	n	action	14	必要	bìyào	adj	necessary
7	执著	zhízhuó	adj	persistent	15	后悔	hòuhuǐ	v	regret
8	痴迷	chīmí	v	be obsessed	16	出手	chūshǒu	v	buy
9	守	shǒu	v	keep watching	17	理性	lǐxìng	adj	rational
10	受骗	shòupiàn	v	be cheated	18	基本	jīběn	adv/n/adj	basically; basis; basic
11	运气	yùnqi	n	luck	19	贪图	tāntú	v	hanker after
12	冲动	chōngdòng	adj	impulsive	20	草率	cǎoshuài	adj	hastily

语言点 Language Points

① 甚至

副词，强调突出的事例，后面常用"也、都"配合。有时也可以放在主语前。As an adverb, 甚至 emphasizes a prominent example, which is often followed by 也 or 都. Sometimes it precedes the subject.

(1) 爸爸太忙了，<u>甚至</u>把妈妈的生日<u>也</u>忘了。

(2) 这个美国人特别喜欢吃辣的，<u>甚至</u>比四川人<u>都</u>能吃辣的。

(3) 这一年他胖了很多，<u>甚至</u>他以前的朋友<u>也</u>认不出他了。

☞(4)（他）<u>甚至</u>在就要买的时候，<u>也</u>可能突然不了了之。

练一练 Practice

(1) 这个汉字太难了，_____。

(2) 玛丽很快从我身边走了过去，_____。

(3) 他不怕冷_____，他也穿很少的衣服。

② 就算……也……

表示假设的让步，相当于"即使"，多用于口语。前后两个分句指同一件事情，后一分句表示退一步的估计。就算……也…… indicates an assumed compromise, equivalent in meaning to 即使 (even if), and is mostly used colloquially. The preceding and following clauses refer to the same event, when the following clause indicates an estimation of compromise.

(1) <u>就算</u>这道题有点儿难，<u>也</u>难不到哪儿去。

(2) 安妮<u>就算</u>病了，<u>也</u>坚持来上课。

(3) <u>就算</u>没有他的帮助，我<u>也</u>能把工作做好。

☞(4) <u>就算</u>有时候受骗，买的东西不满意，<u>也</u>会被你当做是运气不好。

练一练 Practice

(1) 就算明天天气不好，＿＿＿＿＿＿＿＿＿＿。

(2) ＿＿＿＿＿＿＿＿＿＿，小明也要回家过年。

(3) 周末就算同屋没空儿，＿＿＿＿＿＿＿＿＿＿。

③ **大不了**

副词，表示最多也不过如此。The adverb 大不了 means *at the worst would be*.

(1) 这件事今天办不完，<u>大不了</u>明天再来办。

(2) 别担心，<u>大不了</u>我帮你去跟老师请假。

(3) 你慢点开车！天已经黑了，<u>大不了</u>咱们今天就住酒店里。

☞(4) （他）觉得这一点儿也没必要，<u>大不了</u>就当做是个教训。

练一练 Practice

(1) 你找不到那本书没关系，＿＿＿＿＿＿＿＿＿＿。

(2) 现在已经晚上十点了，＿＿＿＿＿＿＿＿＿＿。

(3) 这个假期你要是忙就别去了，＿＿＿＿＿＿＿＿＿＿。

④ **如非必要**

常用书面语表达式，表示如果不必要的话。连接分句，表示假设关系，常跟"就"配合使用。

如非必要 is often used as a formal expression meaning 如果不必要 (*if it's not necessary or is non-essential*). It is used to connect clauses to show a hypothetical relationship and is often used in conjunction with 就.

(1) <u>如非必要</u>，我们家不应该买车。

(2) 遇到问题应该自己去解决，<u>如非必要</u>，不要总找别人帮忙。

(3) 小孩子应该常常锻炼身体，<u>如非必要</u>，别老是吃药。

☞(4) **<u>如非必要</u>，基本上不会去看那些购物网站。**

练一练 Practice

(1) 你看他多着急啊！你快帮帮他吧，＿＿＿＿＿＿＿＿＿＿。

(2) 他现在的身体非常好，＿＿＿＿＿＿＿＿＿＿。

(3) 她身上没有多少钱，＿＿＿＿＿＿＿＿＿＿。

⑤ **为……而……**

表示目的，常用于书面语。"为"后边表示动作的目的，"而"后边加要做的动作。为……

而…… indicates an aim, often used in formal way. 为 is followed by the aim of the action, and 而 is followed by an action

47

needed to be done .

(1) 很多人都在<u>为</u>自己的家庭<u>而</u>努力工作。

(2) 大卫<u>为</u>学好汉语<u>而</u>找语伴（language partner）。

(3) 他们几个人一直<u>为</u>旅行<u>而</u>准备大大小小的东西。

☞(4)（他）不会只想商品打折不打折，更别说<u>为</u>贪图便宜<u>而</u>草率购物。

练一练 Practice

(1) 一直到现在，我都为那件事_____。

(2) 马丁_____而从早到晚地工作。

(3) 每个人都有自己的理想，我们都_____。

活动 Activities

1. 根据课文问答。 Ask and answer according to the text.

(1) 犹豫的人看到了喜欢的商品会做什么？

(2) 对网络购物痴迷的人，如果他受骗了，会怎么想？

(3) 冲动的人买东西前会考虑很多吗？为什么？

(4) 冲动的人听到朋友说商品很好时会做什么？

(5) 对于冷静的人来说，买东西时哪方面可能最重要？

2. 结合你对课文的理解，在下面各个句子的基础上，接着每个句子再口头表述一个完整的意思。 Based on your understanding of the text, present orally a complete meaning of each sentence below.

(1) 我是一个犹豫、感性的人。我在网购时，……

(2) 麦克是我的好朋友，他很执著。他常常在网络上购物，……

(3) 我买东西一般喜欢了就买，不会多考虑。网络购物时我很冲动，……

(4) 现在越来越多的人在网络上购物，就算不需要，他们也会买。可是我很冷静和理性，……

3. 口语活动。 Speaking activities.

①双人活动。 Pair work.

请你和同伴两个人互相猜一下对方是哪类人，告诉他/她你为什么这么想。看看你们能不能猜对？

With your partner, guess what category of shopper he/she is and tell him/her why you think so. See if you can guess correctly?

②小组活动。 Group work.

你觉得课文里的这个心理测试准不准？请用自己的一次网络购物或者逛街购物经历，跟同学们说说你的看法。然后请一个同学代表本组向全班做口头报告。Do you think the psychological test of this text is accurate or not? Using your own online or street shopping experience, exchange your opinions with your group mates. Then choose a representative to present your group's ideas to the class.

要 求 Requirement

请尽量用上学到的句子或常用表达式。

常用表达式

1 甚至……的时候,也……

2 只要……,就……

3 无论……

4 就算……,也……

5 被……当做是……

6 大不了……

7 如非必要,基本……

8 更别说……

9 为……而……

6

Hélǐ   Xiāofèi

合理消费
Rational Consumption

1. 任务介绍 Introduction

　　年龄不同、性格不同、爱好不同的人，想购买的东西也不同。在这个单元中我们会先听到一些人的消费计划或者习惯，然后再读一个小故事，了解一下中国人和外国人的不同消费观。People of different ages characters and interests, like to buy different things. In this unit, we will hear about some people's consumption plans or habits, then will read a short story to get to know the different views on consumption in China and foreign countries.

2. 热身活动 Warm-Up

> 1. 你知道这些标志代表哪家银行吗？试着说一说下面图片里是什么。
> Do you know which banks these logos represent? Try to say what you can see in the pictures below.

> 2. 猜一猜图片里的人可能在做什么呢？这些事情跟银行可能有什么关系？
> Can you guess what the people are doing in the pictures? How are these situations related to the bank?

第 1 课　快乐的消费者

Kuàilè de xiāofèizhě

Happy consumers

如果你有一笔钱，你会买什么呢？我们一定会有不同的消费计划，因为每个人的需要是不同的。下面我们就听听这三个人的消费计划。If you have a sum of money, what will you buy? We will certainly have different plans of consumption, as everyone's needs are different. Next, we will hear about the consumption plans of three people.

1 听　Listen 🎧 6-01

听录音，猜一猜下面词语的意思，并将每个词语与相应的翻译连线。Listen to the recording to guess the meaning of the words and match each word with their corresponding translation.

1	花销	huāxiao n
2	比例	bǐlì n
3	生怕	shēngpà v
4	飞	fēi v
5	市场	shìchǎng n
6	积蓄	jīxù n
7	刻	kè n
8	培训	péixùn v
9	外贸	wàimào n
10	淘汰	táotài v
11	值得	zhídé v

market

fear

savings

spending

fly

proportion

moment

make obsolete

be worth it

train

foreign trade

> **小贴士 Tip**
>
> 你可以选择再听一遍录音，并试着将带有这些词语的句子或其他关键词记录下来。
> You may listen to the recording once again and try to write down the sentences containing these words or other key words.

2 听和说　Listen and Speak

1. 请听第二遍录音，判断对错。Listen to the recording for the second time, decide if the sentences are true or false. 🎧 6-01

(1) 小胡是一个学生，每个月吃饭、交手机费的花销最大。　　（　　）

(2) 如果小胡吃饭花100元，那么她买衣服可能花300元。　　（　　）

(3) 她的一些朋友跟她一样，常常后悔花那么钱买了衣服。　　（　　）

(4) 她们认为花爸妈的钱买衣服是对的。　　（　　）

(5) 风很大，老人们担心人民币飞了。　　　　　　（　　）

(6) 老人们常去的地方是菜市场和小超市，不常买衣服，花销很少。　（　　）

(7) 老人们认为给儿女们花钱购买房子是应该的。　（　　）

(8) "我"在外贸公司工作，所以要提高英语水平。　（　　）

(9) 公司会用电话考试，英语不好会被淘汰。　　　（　　）

(10) "我"觉得不应该每年在英语培训方面花这么多钱。（　　）

2. 双人活动。 Pair work.

① 请听第三遍录音，根据表格提示记录你听到的要点。 Listen to the recording for the third time, take notes of the main points according to the hints in the following table. 🎧 6-01

	消费计划 Consumption Plans	态度 Attitudes
小胡	买衣服	宁可吃饭省钱，也要买。
老人		
"我"		

② 不同的人可能有不同的消费计划。请你根据自己的听力记录，跟同伴讨论一下，说说前面听到的三个人他们是怎么花钱消费的，你们认为这样值得吗？ Different people may have different consumption plans. Use your listening notes to discuss with your partner how the three people you heard spend their money. Do you think it is worthy?

要　求 Requirement

请用上"为了……"和"只要……就/还是……"，例如：为了买件自己喜欢的衣服，宁可吃饭省钱也要买；我觉得只要有进步，花钱还是值得的。

3. 小组活动。Group work.

请你参考上面听到的三个人的消费计划，跟同学们说一说你的消费习惯。然后请一个同学代表本组向全班做口头报告。Referring to the spending plans of the three people above, share your own consumption habits with your group mates. Then choose a representative to present your group's ideas to the class.

> **要 求** Requirement
>
> 请尽量用上学到的句子或常用表达式。

常用表达式

1 大的花销还是……

2 宁可吃饭省点钱

3 花销的比例基本是……

4 生怕……飞了

5 就为了……这一刻

6 如果……很可能被淘汰

7 只要……，还是值得的

第2课 "富翁" 还是 "负翁"？

A rich man or a poor man?

你了解中国人的消费观念吗？在每个国家，买房子都是一件大事。但是因为中西方的消费观念不太一样，所以买房子的计划也不同。下面我们就来读一读，比较一下到底有什么不同。Are you familiar with Chinese views on consumption? Purchasing a home is a big deal in every country. But because views on consumption are different in China and in the West, plans of buying property also differ. Let's read the text below and compare to find the differences.

🎧 6-02

　　西方人习惯**贷款消费**，中国人习惯**存款**消费。有这样一个**故事**讲到中国人和西方人在消费**观念**上的不同：一位美国**老太太**和一位中国老太太在天堂里聊自己的**一生**。美国老太太说："我**辛苦**了三十年，终于把住房贷款都①还清了。"中国老太太却说："我辛苦了三十年，终于攒够了买房的钱。"②前者在自己买的房子里住了三十年，后半生都在还款；后者后半生一直在攒钱，刚攒够了买房的钱，却上了天堂，**无法享受**自己买的新房。

　　很多人讲这个故事，想③说明美国人的消费观念比中国人好。不过这个故事的**续集**却很少有人知道。续集是这样的：美国老太太上了天堂，她的子女说："妈妈的房子太**旧**了，我们也得贷款买房了。"那位中国老人的子女说："妈妈真好，辛苦了一生，给我们留下了一套新房，我们也要努力攒钱给孩子买房。"美国的子女住上了自己贷款买的新房，中国的子女住上了妈妈刚买下来、但没有来得及享受的新房。

　　听了**完整**的故事以后，我们才能④理解中美文化中消费观念为什么不同。⑤从家庭的**连续性**来看，美国人是"自己**管**自己"，"儿孙自有儿孙福"；中国人是"前人**种**树，后人**乘凉**"。

　　中外**传统**文化的不同，产生了消费观念的不同，但是我们不能说哪个比另外一个好。现在中外交流越来越多，中国人在为**子孙**积蓄**财富**的时候，也慢慢开始贷款消费了；美国人除了"自己管自己"以外，也慢慢学会为儿女们考虑了。

Xīfāngrén xíguàn dàikuǎn xiāofèi, Zhōngguórén xíguàn cúnkuǎn xiāofèi. Yǒu zhèyàng yí ge gùshi jiǎngdào Zhōngguórén hé xīfāngrén zài xiāofèi guānniàn shàng de bùtóng: Yí wèi Měiguó lǎotàitai hé yí wèi Zhōngguó lǎotàitai zài tiāntáng lǐ liáo zìjǐ de yìshēng. Měiguó lǎotàitai shuō: "Wǒ xīnkǔ le sānshí nián, zhōngyú bǎ zhùfáng dàikuǎn dōu ①huánqīng le." Zhōngguó lǎotàitai què shuō: "Wǒ xīnkǔ le sānshí nián, zhōngyú zǎngòu le mǎifáng de qián." ②Qiánzhě zài zìjǐ mǎi de fángzi lǐ zhù le sānshí nián, hòu bànshēng dōu zài huánkuǎn; hòuzhě hòu bànshēng yìzhí zài zǎnqián, gāng zǎngòu le mǎifáng de qián, què shàng le tiāntáng, wúfǎ xiǎngshòu zìjǐ mǎi de xīnfáng.

Hěn duō rén jiǎng zhège gùshi, xiǎng ③shuōmíng Měiguórén de xiāofèi guānniàn bǐ Zhōngguórén hǎo. Búguò zhège gùshi de xùjí què hěn shǎo yǒurén zhīdào. Xùjí shì zhèyàng de: Měiguó lǎotàitai shàng le tiāntáng, tā de zǐnǚ shuō: "Māma de fángzi tài jiù le, wǒmen yě děi dàikuǎn mǎifáng le." Nà wèi Zhōngguó lǎorén de zǐnǚ shuō: "Māma zhēn hǎo, xīnkǔ le yìshēng, gěi wǒmen liúxià le yí tào xīnfáng, wǒmen yě yào nǔlì zǎnqián, gěi háizi mǎifáng." Měiguó de zǐnǚ zhùshang le zìjǐ dàikuǎn mǎi de xīnfáng, Zhōngguó de zǐnǚ zhùshang le Māma gāng mǎi xiàlai, dàn méiyǒu láidejí xiǎngshòu de xīnfáng.

Tīng le wánzhěng de gùshi yǐhòu, wǒmen cái néng ④lǐjiě Zhōng-Měi wénhuà zhōng xiāofèi guānniàn wèishénme bùtóng. ⑤Cóng jiātíng de liánxùxìng lái kàn, Měiguórén shì "zìjǐ guǎn zìjǐ", "érsūn zì yǒu érsūn fú"; Zhōngguórén shì "qiánrén zhòngshù, hòurén chéngliáng".

Zhōngwài chuántǒng wénhuà de bùtóng, chǎnshēng le xiāofèi guānniàn de bùtóng, dànshì wǒmen bù néng shuō nǎge bǐ lìngwài yí ge hǎo. Xiànzài ZhōngWài jiāoliú yuè lái yuè duō, Zhōngguórén zài wèi zǐsūn jìxù cáifù de shíhou, yě mànman kāishǐ dàikuǎn xiāofèi le; Měiguórén chúle "zìjǐ guǎn zìjǐ" yǐwài, yě mànman xuéhuì wèi érnǚmen kǎolǜ le.

词语 Vocabulary 🎧 6-03

1	贷款	dàikuǎn	n/v	loan	9	无法	wúfǎ	v	be unable
2	消费	xiāofèi	v	consume	10	享受	xiǎngshòu	v	enjoy
3	存款	cúnkuǎn	n/v	bank savings; deposit	11	续集	xùjí	n	sequel
4	故事	gùshi	n	story	12	旧	jiù	adj	old
5	观念	guānniàn	n	view	13	完整	wánzhěng	adj	complete
6	老太太	lǎotàitai	n	old woman	14	连续性	liánxùxìng	n	continuity
7	一生	yìshēng	n	lifetime	15	管	guǎn	v	care
8	辛苦	xīnkǔ	adj/v	painstaking; ask sb to do sth	16	种	zhòng	v	plant

55

| 17 乘凉 | chéngliáng | v | enjoy the shade | 19 子孙 | zǐsūn | n | descendants |
| 18 传统 | chuántǒng | adj | traditional | 20 财富 | cáifù | n | wealth |

语言点 Language Points

1 动词+清

"清"用在动词后边作结果补语，表示清楚、明白；还可以表示全部结算完。清 is used after a verb as a resultant complement, meaning *clear and evident*. It can also be used to express that something is completely settled.

(1) 刚才你说什么，我没听清。

(2) 这次终于看清他长什么样了。

(3) 他跟我借了一万块钱，都两年了，还没有还清。

☞(4) **我辛苦了三十年，终于把住房贷款都还清了。**

练一练 Practice

(1) 黑板上写的字太小了，_____。

(2) 电话里声音太小了，_____。

(3) 那位老人辛苦工作了二十年，_____。

2 前者……后者……

固定结构。"前"和"后"加上"者"构成名词，按顺序分别指代上文提到的两个人或事物。

前者……后者…… is a fixed structure. 者 is added to 前 and 后 to form nouns referring to the two people or things in the order mentioned previously in the text.

(1) 这两种情况，前者比后者更重要。

(2) 他说的这两种人里，你是前者还是后者？

(3) 一个是你爱的人，一个是爱你的人，你会选前者还是后者？

☞(4) **前者在自己买的房子里住了三十年，后半生都在还款；后者后半生一直在攒钱，刚攒够了买房的钱，却上了天堂，无法享受自己买的新房。**

练一练 Practice

(1) 这两个问题，_____，后者太容易。

(2) 今天看的这两套房子，他更喜欢前者，_____。

(3) 我觉得这两个人，_____。

③ 说明

动词，①表示解释明白；②还可以表示证明。As a verb, 说明 means: ① to explain things clearly; ② to prove.

(1) 请你<u>说明</u>一下不参加比赛的原因。①

(2) 他工作了几个月就当上了经理（manager），<u>说明</u>他很有才能。②

(3) 每次出国回来都给你带礼物，<u>说明</u>他很喜欢你。②

☞(4) **很多人讲这个故事，想<u>说明</u>美国人的消费观念比中国人好。①**

练一练 Practice

(1) 昨天的作业都错了，_____。

(2) 都十二点了他还没回来，_____。

(3) 对不起，这句话我看不明白，_____。

④ 理解

动词，表示懂得、了解。理解 is a verb meaning to know and understand.

(1) 我们住在一个宿舍，应该互相<u>理解</u>。

(2) 父母这样做是为孩子好，可是孩子不<u>理解</u>父母。

(3) 请您再说一遍，您刚才说的我不太<u>理解</u>。

☞(4) **听了完整的故事以后，我们才能<u>理解</u>中美文化中消费观念为什么不同。**

比较 理解/了解

"理解"侧重于领会；"了解"侧重于知道，还有打听、调查的意思。理解 emphasises on understanding. 了解 emphasises on knowledge, and also has the meaning of inquiry and investigation.

a. 到各地旅行，可以帮助你<u>了解</u>这个国家。√

b. 到各地旅行，可以帮助你<u>理解</u>这个国家。×

c. 朋友们都不<u>理解</u>他为什么这么做。√

d. 朋友们都不<u>了解</u>他为什么这么做。×

练一练 Practice

(1) 老师刚才讲的语法，_____。

(2) 因为他不常跟大家一起玩，_____。

(3) 小红把她的想法告诉了妈妈，_____。

5 从……来看

固定结构，表示从某个方面观察，然后得出结论。从……来看 is a fixed structure meaning *from a certain point of view* and followed by a conclusion.

(1) 从现在的情况来看，他们能在周末前把工作做完。

(2) 从人们的生活条件来看，这个国家这些年变化很大。

(3) 从全班的考试成绩来看，同学们学习都很努力。

☞ (4) 从家庭的连续性来看，美国人是"自己管自己"，"儿孙自有儿孙福"；中国人是"前人种树，后人乘凉"。

练一练 Practice

(1) _____，这件衣服应该不便宜。

(2) _____，她好像已经知道那件事了。

(3) _____，麦克一定非常喜欢安妮。

活动 Activities

1. 根据课文问答。 Ask and answer according to the text.

(1) 买房的美国老太太和中国老太太的三十年有什么不同？

(2) 很多人讲这个故事是为了说明什么事？

(3) "妈妈"上天堂以后，他们的子女是怎么计划自己的生活的？

(4) "儿孙自有儿孙福"、"前人种树，后人乘凉"是什么意思？

(5) 现在中国人和美国人的消费观念有了哪些改变？

2. 结合你对课文的理解，在下面各个句子的基础上，接着每个句子再口头表述一个完整的意思。 Based on your understanding of the text, present orally a complete meaning of each sentence below.

(1) 那天我看了一本杂志，杂志里讲了一个美国老太太和中国太太买房子的故事，……

(2) 中国人的子女太幸福了！他们的父母努力工作，……

(3) 来中国以后我才慢慢理解了中美消费观念的差别，……

3. 口语活动。 Speaking activities.

1 双人活动。 Pair work.

请你和同伴讨论一下，在你们国家的人们消费观念和中国人的一样还是不一样。除了消费观念以外，还有哪些方面不同？ Discuss with your partner whether the views on consumption are the same or not in your countries and in China. Besides the views on consumption, what differences are there between China and your countries.

②小组活动。 Group work.

你认为贷款买房和存款买房哪种消费方式更好，试着跟同学说说你的看法。每组讨论一下，然后请一个同学代表小组说说你们的看法。Which method do you think is better, getting a loan to buy a property or saving up for one? Try to share your opinions and discuss with your group mates. Then choose a representative to present your group's ideas to the class.

要　求 Requirement

请尽量用上学到的句子或常用表达式。

常用表达式

1 终于……

2 前者……后者……

3 ……说明……

4 没来得及……

5 ……以后，才……

6 从……来看，……

7 在……的时候

8 为……考虑

Zhōngguó Gōngfu

中国功夫
Chinese *kung fu*

1. 任务介绍 Introduction

你了解中国功夫吗？你或者你身边的朋友学习过中国武术吗？现在有越来越多的外国人到中国学习武术，但是他们学习的原因各不相同。在这个单元，我们会听听一些人为什么学习武术，还会读到一个外国留学生学习武术的经历。Do you know Chinese *kung fu*? Have you or your friends studied Chinese martial arts? Nowadays, more and more foreigners are coming to China to learn these skills, and they all have their own reasons. In this unit, we will hear about why some people have chosen to study martial arts, and then will read about an international student's learning experience of Chinese martial arts.

2. 热身活动 Warm-Up

1. 你知道下面图片里的人物是谁吗？试着说说他们演过的电影。
Do you know who are the people in pictures below? Try to say which movies they have acted in.

2. 说说下面图片中的几个人在练习什么？你喜欢哪种？为什么？
Can you say what each of the people in the pictures below is practicing? Which kind do you prefer? Why?

第 1 课 我是功夫迷
(Wǒ shì gōngfu mí)
I'm a fan of *kung fu*

现在越来越多的外国人喜欢学习中国武术，有的是为了了解中国文化，有的是因为自己的兴趣爱好。下面我们就听听这三个人学习中国功夫的原因。Nowadays, more and more foreigners like to study Chinese martial arts. Some do it to better understand Chinese culture, some because of their own interests. Next, we will hear three people talking about their situations in learning Chinese *kung fu*.

1 听 Listen 🎧 7-01

听录音，猜一猜下面词语的意思，并将每个词语与相应的翻译连线。Listen to the recording to guess the meaning of the words and match each word with their corresponding translation.

1 剧烈 jùliè *adj*
2 动作 dòngzuò *n*
3 柔和 róuhé *adj*
4 缓慢 huǎnmàn *adj*
5 其中 qízhōng *n*
6 厉害 lìhai *adj*
7 模仿 mófǎng *v*
8 崇拜 chóngbài *v*
9 明星 míngxīng *n*
10 脚 jiǎo *n*
11 成功 chénggōng *v*

soft
fierce
action
slow
mimic
of which
radical
succeed
admire
foot
pop star

> ### 小贴士 Tip
> 你可以选择再听一遍录音，并试着将带有这些词语的句子或其他关键词记录下来。
> You may listen to the recording once again and try to write down the sentences containing these words or other key words.

2 听和说 Listen and Speak

1. 请听第二遍录音，判断对错。Listen to the recording for the second time, decide if the sentences are true or false. 🎧 7-01

(1) 老人非常喜欢太极拳，她正在澳大利亚（Àodàlìyà, Australia）学习打太极拳。（   ）

(2) 老人认为西方的运动不太适合老年人练习。（   ）

(3) 国外很多老人没有跟子女一起生活，却不觉得没意思。（   ）

(4) 马超爱好中国功夫，觉得醉拳特别有意思。 （ ）

(5) 他喜欢看着电影模仿成龙的动作学习醉拳。 （ ）

(6) 学了几个月后，马超的醉拳已经越来越厉害了。 （ ）

(7) 金海十五岁时就来到中国学习武术了。 （ ）

(8) 他的理想是当一个功夫电影明星。 （ ）

(9) 金海在中国学了七年武术，现在已经回韩国了。 （ ）

(10) 练习武术很辛苦，他常常练得手也疼、脚也疼。 （ ）

2. 双人活动。Pair work.

① 请听第三遍录音，根据表格提示记录你听到的要点。Listen to the recording for the third time, take notes of the main points according to the hints in the following table. 🎧 7-01

学习原因	
	Reasons
米歇尔 （Mǐxiē'ěr, Michelle）	
马超	
金海	

② 请你根据自己的听力纪录，跟同伴讨论一下刚才听到的三个人学习中国功夫的原因。Use your listening notes to discuss with your partner the reasons why these three people study *kung fu*.

要　求 Requirement
请用上"……，因此……"例如：太极拳动作柔和缓慢，非常适合老年人，因此我最喜欢打太极拳。

3. **小组活动**。Group work.

在你们国家有没有你认识的人正在学习中国武术，或者准备学习呢？他们学习的功夫都一样吗？请你参考上面听到的内容，介绍一下你们国家那些人练习中国武术的原因。然后请一个同学代表本组向全班做口头报告。In your country, is there anyone your know studying or preparing to study Chinese martial arts? Are they learning the same type of *kung fu*? Referring to the content you have heard, introduce to your group the reasons why people in your country study martial arts. Then choose a representative to present your group's ideas to the class.

要　求 Requirement

请尽量用上学到的句子或常用表达式。

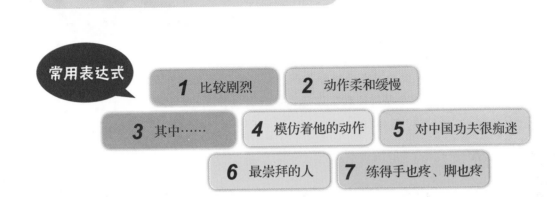

常用表达式

1 比较剧烈　　2 动作柔和缓慢

3 其中……　　4 模仿着他的动作　　5 对中国功夫很痴迷

6 最崇拜的人　　7 练得手也疼、脚也疼

第2课 拜师学艺
Bàishī xuéyì

Becoming a master's apprentice

如果你想学习武术，你会怎么做呢？下面就是一个西班牙留学生在中国学习武术的经历，让我们一起来读一读。If you wanted to study martial arts, what will you do? Next, let's read about the martial arts study experience of a Spanish student in China.

 7-02

　　每天早上还不到7点，何塞就来到了公园。他上身穿着一件白**T恤**，下身穿着黑色练功裤，脚上还穿着一双练功鞋。如果不是**高耸**的**鼻梁**，全身穿着功夫**行头**的何塞还真不容易**暴露**他的"老外"**身份**。每年夏天他都会从西班牙坐飞机到成都学习中国功夫和汉语。

　　跟大多数外国人一样，他也是①通过李小龙的功夫电影喜欢上中国功夫的。2007年，在成都学习汉语的何塞和朋友一起去公园玩儿的时候，**无意**中发现了李伟的武术学校。那天他站在旁边看了很长时间，第二天就去武术学校跟李老师**表达**了自己想学习武术的②愿望。李伟知道他想**拜**自己为**师**后，**当即**就收下了这个外国学生当**徒弟**。现在何塞再也不用看着电影**比画**武术动作了，因为他已经有了**正宗**的武术老师。

　　刚开始的时候，何塞一点儿功夫都不会，李老师只能从最基本的**套路**③教起。何塞身材高大，但④**丝毫**不**介意**和小学生们一起当同学。谈起这个外国徒弟，李老师非常满意，他说："何塞很努力，有时候我们语言交流起来有**困难**，但是只要我多**示范**几遍，他就能明白我的意思。"

　　何塞每次在成都住的时间都不长，上次⑤**临**回国之前，他去书店买了很多**关于**武术的书。他的理想就是能成为像李小龙那样的功夫**高手**。在西班牙，他每天下班后也都会在家里练习武术。现在他越练越觉得中国武术非常**深奥**。

Měitiān zǎoshang hái bú dào qī diǎn, Hésài jiù láidào le gōngyuán. Tā shàngshēn chuānzhe yí jiàn bái T xù, xiàshēn chuānzhe hēisè liàngōng kù, jiǎo shang hái chuānzhe yì shuāng liàngōng xié. Rúguǒ bú shì **gāosǒng** de **bíliáng**, quánshēn chuānzhe gōngfu **xíngtou** de Hésài hái zhēn bù róngyì **bàolù** tā de "lǎowài" **shēnfen**. Měi nián xiàtiān tā dōu huì cóng Xībānyá zuò fēijī dào Chéngdū xuéxí Zhōngguó gōngfu hé Hànyǔ.

Gēn dàduōshù wàiguórén yíyàng, tā yě shì ①tōngguò Lǐ Xiǎolóng de gōngfu diànyǐng xǐhuan shàng Zhōngguó gōngfu de. Èrlínglíngqī nián, zài Chéngdū xuéxí Hànyǔ de Hésài hé péngyou yìqǐ qù gōngyuán wánr de shíhou, **wúyì** zhōng fāxiàn le Lǐ Wěi de wǔshù xuéxiào. Nà tiān tā zhàn zài pángbiān kàn le hěn cháng shíjiān, dì-èr tiān jiù qù wǔshù xuéxiào gēn Lǐ lǎoshī **biǎodá** le zìjǐ xiǎng xuéxí wǔshù de ②yuànwàng. Lǐ Wěi zhīdào tā xiǎng **bài** zìjǐ **wéi shī** hòu, **dāngjí** jiù shōuxià le zhège wàiguó xuésheng dāng **túdi**. Xiànzài Hésài zài yě bú yòng kànzhe diànyǐng **bǐhua** wǔshù dòngzuò le, yīnwèi tā yǐjīng yǒu le **zhèngzōng** de wǔshù lǎoshī.

Gāng kāishǐ de shíhou, Hésài yìdiǎnr gōngfu dōu bú huì, Lǐ lǎoshī zhǐnéng cóng zuì jīběn de **tàolù** ③jiāoqǐ. Hésài shēncái gāodà, dàn ④sīháo bú **jièyì** hé xiǎoxuéshēngmen yìqǐ dāng tóngxué. Tánqǐ zhège wàiguó túdi, Lǐ lǎoshī fēicháng mǎnyì, tā shuō: "Hésài hěn nǔlì, yǒushíhou wǒmen yǔyán jiāoliú qǐlai yǒu **kùnnan**, dànshì zhǐyào wǒ duō **shìfàn** jǐ biàn, tā jiù néng míngbai wǒ de yìsi."

Hésài měi cì zài Chéngdū zhù de shíjiān dōu bù cháng, shàngcì ⑤lín huíguó zhīqián, tā qù shūdiàn mǎi le hěn duō **guānyú** wǔshù de shū. Tā de lǐxiǎng jiùshì néng chéngwéi xiàng Lǐ Xiǎolóng nàyàng de gōngfu **gāoshǒu**. Zài Xībānyá, tā měitiān xiàbān hòu yě dōu huì zài jiāli liànxí wǔshù. Xiànzài tā yuè liàn yuè juéde Zhōngguó wǔshù fēicháng **shēn'ào**.

词语 Vocabulary 🎧 7-03

1	T恤	T xù	n	T shirt	11	徒弟	túdi	n	apprentice

#	Word	Pinyin	POS	Meaning	#	Word	Pinyin	POS	Meaning
1	T恤	T xù	n	T shirt	11	徒弟	túdi	n	apprentice
2	高耸	gāosǒng	v	stand out	12	比画	bǐhua	v	gesture
3	鼻梁	bíliáng	n	bridge of the nose	13	正宗	zhèngzōng	adj	authentic
4	行头	xíngtou	n	outfit	14	套路	tàolù	n	routine
5	暴露	bàolù	v	reveal	15	介意	jièyì	v	mind
6	身份	shēnfen	n	identity	16	困难	kùnnan	n/adj	difficulty; difficult
7	无意	wúyì	adv	unintentionally	17	示范	shìfàn	v	demonstrate
8	表达	biǎodá	v	express	18	关于	guānyú	prep	about
9	拜师	bàishī	v	take as master	19	高手	gāoshǒu	n	master
10	当即	dāngjí	adv	at once	20	深奥	shēn'ào	adj	profound

专有名词 Proper Nouns

1 何塞	Hésài	Jose
2 西班牙	Xībānyá	Spain

3 成都	Chéngdū	Chengdu
4 李小龙	Lǐ Xiǎolóng	Bruce Lee
5 李伟	Lǐ Wěi	Li Wei

语言点 Language Points

① 通过

介词，引进动作的媒介或手段。可以用在主语前，有语音停顿。 通过 is a preposition which introduces the means or medium of an action. It can be used before the subject and includes a pause.

(1) 通过什么方法我才能找到他呢？

(2) 通过努力学习，同学们的汉语说得越来越好了。

(3) 通过朋友介绍，我认识了一位教太极拳的老师。

☞(4) **他也是通过李小龙的功夫电影喜欢上中国功夫的。**

练一练 Practice

(1) ＿＿＿＿＿＿＿＿＿＿＿＿，学生们才知道每天预习生词很重要。

(2) 他是饭馆的服务员，如果你们有什么建议，＿＿＿＿＿＿＿＿＿。

(3) ＿＿＿＿＿＿＿＿＿＿＿，马克发现以前并不了解自己的父母。

② 愿望

名词，表示希望能达到某种目的的想法。 愿望 is a noun which expresses the hope of achieving an aim.

(1) 孩子们都把自己的愿望告诉了老师。

(2) 每个人小时候都有不同的愿望。

(3) 他的愿望是成为一名功夫明星。

☞(4) **他跟李老师表达了自己想学习武术的愿望。**

比较 愿望/希望

(1) "愿望"是名词；"希望"可以是名词，也可以是动词。愿望 is a noun, while 希望 can act as a noun or a verb.

　　a. 大家都希望他的病能快点好。√

　　b. 大家都愿望他的病能快点好。✕

(2) "愿望"跟"希望"都表示希望达到某种目的的想法，但是"愿望"比"希望"程度更深。愿望 and 希望 both express the hope of achieving an aim, though the degree of 愿望 is greater than 希望.

　　a. 父母身体健康是孩子最大的希望。 ✕

　　b. 父母身体健康是孩子最大的愿望。√

(3) "愿望"都是人的想法；"希望"可以是人的想法，也可以表示事物的某种可能性。

愿望 is always a person's opinion, while 希望 can belong to a person or an object.

    a. 他的病没有一点希望。√

    b. 他的病没有一点愿望。×

练一练 Practice

(1) 小时候，_____。

(2) 他每天都在操场练习跑步，_____。

(3) _____全班同学以后都能幸福地生活。

---

3 动词 + 起

表示动作涉及的某事物。动词常常为"说、谈、讲、问、提、想"等少数及物动词。The structure "verb + 起" indicates that an action is concerned with a certain object. It is usually used with a small number of transitive verbs such as 说, 谈, 讲, 问, 提, 想, etc.

(1) 一说起那件事，大家都大笑起来了。

(2) 要是别人问起他，你可以好好介绍一下。

(3) 他没有提起上次是怎么过生日的。

☞ **(4) 李老师只能从最基本的套路教起。**

练一练 Practice

(1) 他们都在中国留过学，每次一见面_____。

(2) 每当走到他们以前经常见面的地方，_____。

(3) _____，每个人都说出了自己的看法。

---

4 丝毫

副词，表示极少或很少、一点儿，只用于否定句。丝毫 is an adverb meaning *minimal, very few*, or *very little*. It is only used in negative sentences.

(1) 这件事对玛丽没有丝毫影响。

(2) 这块手表走得很准，丝毫不快。

(3) 虽然冬天快到了，但是他总穿很少的衣服，丝毫不冷。

☞ **(4) 何塞身材高大，但丝毫不介意和小学生们一起当同学。**

注意 丝毫/一点儿

① "丝毫"只用于否定式;"一点儿"既可用于肯定式,也可用于否定式。丝毫 is only used in a negative sentence, while 一点儿 can be used in either a positive or negative sentence.

    a. 这个办法有<u>丝毫</u>问题。　　　×

    b. 这个办法有<u>一点儿</u>问题。　　　√

    c. 这个办法没有<u>丝毫</u>问题。　　　√

② "丝毫"一般不修饰具体名词,"一点儿"却不受限制。丝毫 does not usually modify a concrete noun, while 一点儿 is not limited in this way.

    a. 没有<u>一点儿</u>水了。　　　√

    b. 没有<u>丝毫</u>水了。　　　×

练一练 Practice

(1) 那个饭馆的饭菜很难吃,_____。

(2) 每天熬夜工作对身体_____。

(3) 马丁喜欢安妮,想让她做女朋友,可是_____。

5 临

介词,表示将要发生。可以用在主语前,常常与动词连用,结构为"临+ 动词 (+ 时/的时候/前/以前/之前)"。临 is a preposition indicating *will happen*. It can be used before the subject and often used together with a verb in the structure "临 + verb (+ 时/的时候/前/以前/之前)".

(1) 病人<u>临</u>睡之前吃了药。

(2) <u>临</u>出发前,他告诉了我这次旅行的目的地。

(3) 爸爸<u>临</u>走时给妈妈留了很多钱。

☞(4) **上次<u>临</u>回国之前,他去书店买了很多关于武术的书。**

练一练 Practice

(1) _____,他跟好朋友们一起聚了聚。

(2) 妈妈上个月来北京看我,_____。

(3) 医生告诉玛丽如果睡不着,_____。

活动 Activities

1. **根据课文问答。** Ask and answer according to the text.

(1) 何塞练武术时的行头什么样？

(2) 何塞是怎么知道李伟的武术学校的？

(3) 李老师怎么开始教何塞的？老师对何塞满意吗？

(4) 他跟老师学习武术时有什么困难？遇到困难时他们怎么办？

(5) 何塞现在对中国功夫有什么看法？

2. **结合你对课文的理解，在下面各个句子的基础上，接着每个句子再口头表述一个完整的意思。** Based on your understanding of the text, present orally a complete meaning of each sentence below.

(1) 每天我去公园散步的时候，都能看见一个老外，……

(2) 大卫很早就喜欢上了中国功夫，他一直想找个武术老师。……

(3) 我已经学了两年武术了。刚开始的时候，我一点功夫都不会，……

3. **口语活动。** Speaking activities.

1 双人活动。 Pair work.

你或者你身边的家人、朋友学习过武术吗？他们的武术老师怎么样？他们是怎么找到老师，并成为他的徒弟的？如果还没有找到老师，那请考虑一下你想找什么样的武术老师，会通过什么途径去找。现在请你们调查一下身边的几个同学，把结果记在下面的表中，然后互相说一说。Have you or your family and friends studied martial arts? How were their teachers? How did they find their teachers and become an apprentice? If you haven't found a teacher, consider what kind of teacher you might like to find, and what approach you could use to find one. Now, survey some classmates around you, take notes of the results in the table below together. Then talk about the results with your partner.

名　字	老师怎么样	如何找老师
1.		
2.		
3.		

② **小组活动**。Group work.

每个人从小到大，学习过很多运动或技能，比如游泳、武术、开车、烹调等等。有的技能我们是跟专门的老师学的，有的技能是跟身边的朋友学的。请结合自己的实际情况，跟朋友们说一说谁是你最重要的"老师"。然后请一个同学代表本组向全班报告。In growing-up, everyone has learned many sports or skills such as swimming, martial arts, driving, cooking, etc. We have studied some of the skills with a specialist teacher, and some with the friends around us. Use your own real life experiences to discuss with your group mates who is the most important "teacher". Then choose a representative to present your group's ideas to the class.

要　求 Requirement

请尽量用上学到的句子或常用表达式。

常用表达式

1 通过……

2 跟……表达……

3 再也不/没……

4 从……起

5 丝毫不/没（有）

6 谈起……，……

7 临……之前，……

8 越……越……

Hànzì　　　Qùhuà

汉字趣话

Stories About Chinese Characters

1. 任务介绍　Introduction

很多外国朋友都觉得汉字像一幅幅画儿一样，很有意思。在国外很多地方，也常常能看到汉字。在这个单元，我们会先听听外国朋友是怎么学习和使用汉字的，然后会了解一些关于汉字的历史和知识。Many foreign friends believe that Chinese characters resemble pictures, which is very interesting. It is also common to see some characters in foreign countries. In this unit, we will firstly hear some foreign friends talk about how they study and use Chinese characters, and then will study some of the character's history and background.

2. 热身活动　Warm-Up

1. 看下面的图片说说这些汉字的使用情况。你在哪些地方还可以看到汉字？
Look at the pictures and say how the Chinese characters are being used. Where else is it possible to see Chinese characters?

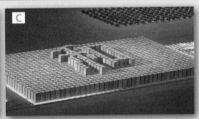

2. 猜猜下面是些什么汉字？说说它们有什么特点。
Do you know what the characters below are? Talk about their characteristics.

第 **1** 课　无所不在的汉字

Wú suǒ bú zài de Hànzì

Ubiquitous Chinese characters

很多喜欢中国文化的外国朋友都对汉字非常感兴趣，他们觉得了解汉字才能了解中国文化。下面我们就听听外国朋友是怎么使用汉字的。Mary foreign friends who like enjoy Chinese culture, are very interested in Chinese characters. They believe that Chinese characters can best represent the culture. Next, we will hear how foreign friends use Chinese characters.

1 听　Listen　🎧 8-01

听录音，猜一猜下面词语的意思，并将每个词语与相应的翻译连线。Listen to the recording to guess the meaning of the words and match each word with their corresponding translation.

1　埋怨　mányuàn　v
2　非要　fēiyào　adv
3　流行　liúxíng　adj/v
4　文身　wénshēn　n/v
5　文　wén　v
6　含义　hányì　n
7　闹笑话　nào xiàohua
8　周边　zhōubiān　n
9　轮　lún　mw
10　社会　shèhuì　n
11　春联　chūnlián　n

insist on
tattoo
to have a tattoo
complain about
meaning
popular
be the butt of jokes
community
New Year couplets
surrounding
round

> **小贴士 Tip**
>
> 你可以选择再听一遍录音，并试着将带有这些词语的句子或其他关键词记录下来。
> You may listen to the recording once again and try to write down the sentences containing these words or other key words.

2 听和说　Listen and Speak

1. 请听第二遍录音，判断对错。Listen to the recording for the second time, decide if the sentences are true or false. 🎧 8-01

(1) 张兰是法国（Fǎguó, France）留学生，2008年她去北京看奥运会了。　（　　）

(2) 北京有很多带汉字的T恤，她想买几件送给法国朋友。　（　　）

(3) 在法国，穿带汉字的衣服，别人会很羡慕。　（　　）

72

(4) "中国热"的意思是中国的天气变得越来越热了。 （ ）

(5) 很多外国运动员都喜欢把自己会写的汉字文在身上。 （ ）

(6) 外国人觉得汉字像画儿一样。 （ ）

(7) 很多外国人对中国文化感兴趣，很喜欢汉字笑话。 （ ）

(8) 在中国周边有的国家以前也用汉字。 （ ）

(9) 在越南（Vietnam），人们结婚的时候有贴汉字的风俗。 （ ）

(10) 日本人现在还用汉字，在日本还有汉字考试。 （ ）

2. 双人活动。Pair work.

① 请听第三遍录音，根据表格提示记录你听到的要点。Listen to the recording for the third time, take notes of the main points according to the hints in the following table. 🎧 8-01

什么时候/在哪儿使用汉字？ *When / Where to use Chinese characters?*	为什么？ *Why?*
衣服上	汉字在法国很流行……

② 有的人觉得汉字很有意思，有的人却觉得汉字在自己的文化里很重要。请你根据自己的听力记录，跟你的同伴讨论一下刚才听到的内容，说说汉字在国外的使用情况。Some people think that Chinese characters are very interesting, and some feel that Chinese characters are very important to their own cultures. Use your listening notes to discuss with your partner what you have just heard, talk about the use of Chinese characters in foreign countries.

要 求 Requirement

请用上"越来越……"，例如：汉字在法国越来越流行。

3. **小组活动。** Group work.

请你参考听到的汉字使用情况，结合自己国家的实际情况，说说在你们国家，人们使用汉字的情况。然后请一个同学代表本组向全班做口头报告。Referring to the uses of Chinese characters that you've heard and your real experiences from home, talk about the usage of Chinese characters in your country. Then choose a representative to present your group's ideas to the class.

> **要　求** Requirement
> ....
> 请尽量用上学到的句子或常用表达式。

常用表达式

1 非要买带汉字的T恤　　**2** 特别流行

3 把喜欢的汉字作为自己的文身　　**4** 知道它们的真正含义　　**5** 闹出笑话

6 对……产生很大影响　　**7** 贴汉字春联的习惯

第 2 课 汉字知识知多少?

How much do you know about Chinese characters?

汉字是一种很独特的文字，很多人对汉字很感兴趣，但是你了解汉字的历史和知识吗？下面我们一起学习一下关于汉字的知识。Chinese characters are a unique kind of script. Many people are interested in them. But do you know about their history and background? Next, let's study some knowledge about Chinese characters together.

🎧 8-02

今天是2007年2月9日，英国下了很大的**雪**，《泰晤士报》就在**显眼**的地方写出了 "Will it 雪 or 雨 today?"（今天会下雪还是下雨？）每个看报纸的人都觉得很**奇怪**，猜这些**符号**是什么意思，想**报纸**上为什么会有像画儿一样的符号？翻开报纸一看才知道，原来这是为庆祝中国春节而举办的"中国文化**周**"，里面还讲了很多汉字的历史，还有很多**字谜**游戏。

　　一说起中国文化，就会让人想起汉字来。汉字是世界上最**古老**的**文字**①之一，**距离**今天有5000多年的历史了。每个汉字都有自己的**读音**，每个读音差不多有四个声调，所以汉语②**读起来**特别好听，像**音乐**一样。③**另外**，汉字的**形状**像一幅画儿，但是里面的**线条**只要有一点儿不同，就会**表示**不同的意思，比如"住"和"往"，你能说说这两个字哪儿不同吗？

　　很多留学生觉得汉字又多又难，很难把汉语继续④**学下去**。其实，中国常用汉字只有3500个左右，最常用的才500多个。汉字学起来也非常有意思，比如"日"、"月"，形状就是太阳和月亮的样子。还有**一部分**汉字，是把两个字加在一起表示一个新的意思，比如"休"。"休"是"人"靠在一棵树（木）上，表示休息。另外，还可以在一个汉字上加上一个符号来**构成**一个新字。比如，用一条短线条画在"木"字下面构成"本"字，意思是**树根**；画在上面就是"末"字，意思是**树梢**。还有很多字由两部分构成，一部分表示读音，另一部分表示意思。比如"清"和"注"，"氵"表示**意义**，"青"和"主"⑤**分别**表示这两个字的读音。汉字是不是很有意思呢？汉字知识你还知道多少呢？如果你还想了解更多，快看看今天的《泰晤士报》吧！

Jīntiān shì èrlínglíngqī nián èr yuè jiǔ rì, Yīngguó xià le hěn dà de xuě, 《Tàiwùshì Bào》jiù zài xiǎnyǎn de dìfang xiěchū le "Will it xuě or yǔ today?"（Jīntiān huì xiàxuě hái shì xiàyǔ?）Měi ge kàn bàozhǐ de rén dōu juéde hěn qíguài, cāi zhèxiē fúhào shì shénme yìsi, xiǎng bàozhǐ shàng wèishénme huì yǒu xiàng huàr yíyàng de fúhào? Fānkāi bàozhǐ yí kàn cái zhīdào, yuánlái zhè shì wèi qìngzhù Zhōngguó Chūnjié ér jǔbàn de "Zhōngguó wénhuà zhōu", lǐmiàn hái jiǎng le hěn duō Hànzì de lìshǐ, háiyǒu hěn duō zìmí yóuxì.

Yì shuōqǐ Zhōngguó wénhuà, jiù huì ràng rén xiǎngqǐ Hànzì lái. Hànzì shì shìjiè shàng zuì gǔlǎo de wénzì ①zhī yī, jùlí jīntiān yǒu wǔqiān duō nián de lìshǐ le. Měi ge Hànzì dōu yǒu zìjǐ de dúyīn, měi ge dúyīn chàbuduō yǒu sì ge shēngdiào, suǒyǐ Hànyǔ ②dú qǐlai tèbié hǎotīng, xiàng yīnyuè yíyàng. ③Lìngwài, Hànzì de xíngzhuàng xiàng yì fú huàr, dànshì lǐmiàn de xiàntiáo zhǐyào yǒu yìdiǎnr bùtóng, jiù huì biǎoshì bùtóng de yìsi, bǐrú "zhù" hé "wǎng", nǐ néng shuōshuo zhè liǎng ge zì nǎr bùtóng ma?

Hěn duō liúxuéshēng juéde Hànzì yòu duō yòu nán, hěn nán bǎ Hànyǔ jìxù ④xué xiàqu. Qíshí, Zhōngguó chángyòng Hànzì zhǐ yǒu sānqiān wǔbǎi ge zuǒyòu, zuì chángyòng de cái wǔbǎi duō ge. Hànzì xué qǐlai yě fēicháng yǒuyìsi, bǐrú "rì", "yuè", xíngzhuàng jiù shì tàiyáng hé yuèliang de yàngzi. Háiyǒu yí bùfen Hànzì, shì bǎ liǎng ge zì jiā zài yìqǐ biǎoshì yí ge xīn de yìsi, bǐrú "xiū". "Xiū" shì "rén" kàozài yì kē shù (mù) shàng, biǎoshì xiūxi. Lìngwài, hái kěyǐ zài yí ge Hànzì shàng jiāshang yí ge fúhào lái gòuchéng yí ge xīn zì. Bǐrú, yòng yì tiáo duǎn xiàntiáo huà zài "mù" zì xiàmiàn gòuchéng "běn" zì, yìsi shì shùgēn; huà zài shàngmiàn jiù shì "mò" zì, yìsi shì shùshāo. Háiyǒu hěn duō zì yóu liǎng bùfen gòuchéng, yí bùfen biǎoshì dúyīn, lìng yí bùfen biǎoshì yìsi. Bǐrú "qīng" hé "zhù", "sāndiǎnshuǐ" biǎoshì yìyì, "qīng" hé "zhǔ" ⑤fēnbié biǎoshì zhè liǎng ge zì de dúyīn. Hànzì shì bu shì hěn yǒu yìsi ne? Hànzì zhīshi nǐ hái zhīdào duōshao ne? Rúguǒ nǐ hái xiǎng liǎojiě gèng duō, kuài kànkan jīntiān de 《Tàiwùshì Bào》ba!

| 1 雪 | xuě | *n* | snow | 2 显眼 | xiǎnyǎn | *adj* | conspicuous |

3	奇怪	qíguài	*adj*	strange	14	线条	xiàntiáo	*n*	line
4	符号	fúhào	*n*	symbol	15	表示	biǎoshì	*v*	indicate
5	报纸	bàozhǐ	*n*	newspaper	16	部分	bùfen	*n*	part
6	周	zhōu	*n*	week	17	构成	gòuchéng	*v*	constitute
7	字谜	zìmí	*n*	puzzle	18	树根	shùgēn	*n*	root
8	古老	gǔlǎo	*adj*	ancient	19	树梢	shùshāo	*n*	treetop
9	文字	wénzì	*n*	writing	20	意义	yìyì	*n*	meaning
10	距离	jùlí	*n/v*	distance; be at a distance from					
11	读音	dúyīn	*n*	pronunciation					
12	音乐	yīnyuè	*n*	music					
13	形状	xíngzhuàng	*n*	shape					

专有名词 Proper Nouns

1	英国	Yīngguó	Britain
2	《泰晤士报》	Tàiwùshì Bào	The Times

语言点 Language Points

1 之一

表示其中的一个的意思。之是古代汉语遗留下来的结构助词，类似现代汉语中"的"。之一 means *one amongst others.* 之 is a structural particle from ancient Chinese and is similar to 的 in modern Chinese.

(1) 他是我的大学同学<u>之一</u>。

(2) 汉字难写是留学生学习汉语时遇到的问题<u>之一</u>。

(3) 跟旅行团旅游的好处<u>之一</u>就是省钱。

☞(4) **汉字是世界上最古老的文字<u>之一</u>。**

练一练 Practice

(1) 我们有好几门课，_____。

(2) 抽烟有很多坏处，_____。

(3) 这些地方都适合暑假去旅游，_____。

2 动词+起来

固定结构，"起来"用在动词后面，①作复合趋向补语；②可以引申表示动作开始并继续；③在本课中，引申表示着眼于某一方面，比如"看起来、听起来、读起来"等等。In the fixed structure "Verb + 起来", 起来 follows a verb ① to act as a compound directional complement; ② to indicate that an action has begun and is ongoing. ③ in this text, to indicate a focus on a particular action, for example 看起来，听起来，读起来, etc.

(1) 先生，请您站<u>起来</u>！①

(2) 听完那件事，大家都笑了<u>起来</u>。②

(2) 很多事情说<u>起来</u>容易，做<u>起来</u>难。③

☞(4) **所以读<u>起来</u>特别好听，像音乐一样。③**

比较 **看起来/想起来**

(1) "看起来"还可引申表示估计。看起来 can also be used to indicate a guess.

    a. 天阴了，<u>看起来</u>要下雨了。

    b. 她<u>看起来</u>有三十岁。

(2) "想起来"引申表示从记忆中寻找出以前的人或事。想起来 can also be used to indicate people or object found through memory.

    a. 我一下儿没<u>想起来</u>那个人的名字。

    b. 玛丽<u>想不起来</u>把书放哪儿了。

练一练 Practice

(1) 外国人觉得汉字特别有意思，＿＿＿＿＿＿＿＿＿＿。

(2) 你送给我的那本书＿＿＿＿＿＿＿＿＿＿。

(3) ＿＿＿＿＿＿＿＿＿＿，咱们就点这个菜吧。

---

③ **另外**

代词、副词、连词。在本课里出现的都是连词。另外 can act as a pronoun, adverb, or conjunction. In this lesson, all 另外 are conjunctions.

① 代词，表示上文所说范围之外的人或事。常用"另外（+的）+数量（+名词）"和"另外+的（+名词）"两种结构。As a pronoun, 另外 is used to indicate a person or object not mentioned previously in the text. It is frequently used in the structures: "另外 (+ 的) + quantity (+ noun)" and "另外 + 的 (+ noun)".

② 副词，表示在上文所说范围之外。常跟"还、再、又"连用。As an adverb, 另外 indicates beyond the scope mentioned previously in the text. It is often used with "还, 再 or 又".

③ 连词，表示此外的意思，可以连接小句、句子等。As a conjunction, 另外 means *in addition* or *besides*. It can be used in connection with a clause or a sentence.

    (1) 旅行的<u>另外</u>一个收获就是可以了解中国文化。①

    (2) 这几个同学参加跑步比赛，<u>另外</u>的同学参加游泳比赛。①

    (3) 你用这本词典，我<u>另外</u>还有一本。②

    ☞(4) （汉字）读起来像音乐一样。<u>另外</u>，汉字的形状好像一幅画儿。③

比较 **另外/另**

(1) 两者都可作代词，表示所说范围之外的人或事。"另外"常用"另外（+的）+数量（+名词）"，里面"的"可加可不加；"另"常用"另 +数量（+名词）"，不加"的"。Both can act as pronouns to indicate somebody or something not mentioned previously. 另外 is usually used in the structure "另外 (+ 的) + quantity (+ noun)", when 的 may or may not be included; 另 is usually used in the

structure "另 + quantity (+ noun)" without 的.

  a. 我去过另外的一个博物馆。 √

  b. 我去过另的一个博物馆。 ×

(2) 两者都可作副词，"另"常常修饰单音节动词。Both can act as adverbs, with 另 usually modifying a monosyllabic verb.

  a. 除了这个问题以外，你还得另外准备五个问题。 √

  b. 小王没有时间，你另找别人吧。 √

练一练 Practice

(1) 这本书是我的，_____。

(2) 这次我看到了美丽的风景，_____。

(3) 他一只手拿着衣服，_____。

④ 动词+下去

固定结构，"下去"用在动词后面，①作复合趋向补语；②本课使用它的引申义，表示动作从现在继续到将来。In the fixed structure "verb +下去"，下去 follows a verb ① as a compound directional complement; ② in this lesson, to indicate that an action will continue from now into the future.

(1) 一下课，学生们就走下楼去买吃的喝的。①

(5) 来云南旅行过的人，都想在这里一直住下去。②

(3) 你这样工作下去，身体会越来越不好的。②

☞(4) **留学生觉得汉字又多又难，很难把汉语继续学下去。②**

练一练 Practice

(1) _____，走路去体育馆5分钟就到了。

(2) 他已经学了三年汉语了。_____。

(3) 这个电影太没有意思了，_____。

⑤ 分别

副词，表示各自的意思，指几个人或事物跟前面所说的几个对象一个对一个。分别 is an adverb meaning *respectively*. It refers to some people or objects matching the previously mentioned objects of the sentence one by one.

(1) 玛丽和安妮分别是我的小学同学和大学同学。

(2) 这两个工作可以分别让他们两个做。

(3) 那几种语言分别是英语、法语和西班牙。

☞(4) **"清"和"注"，"氵"表示意义，"青"和"主"分别表示这两个字的读音。**

练一练 Practice

(1) 这两件T恤＿＿＿＿＿＿＿＿＿＿。

(2) 那两座楼＿＿＿＿＿＿＿＿＿＿。

(3) 参加爬山比赛的同学＿＿＿＿＿＿＿＿＿＿。

活动 **Activities**

1. **根据课文问答。** Ask and answer according to the text.

   (1) 今天的《泰晤士报》上为什么有很多汉字字谜游戏？

   (2) 汉语读起来怎么样？

   (3) 汉字有多长时间的历史了？

   (4) 留学生们觉得汉字好学吗？为什么？

   (5) 你知道汉字有几种吗？分别是什么？

2. **结合你对课文的理解，在下面各个句子的基础上，接着每个句子再口头表述一个完整的意思。** Based on your understanding of the text, present orally a complete meaning of each sentence below.

   (1) 你看今天的《泰晤士报》了吗？太有意思了！……

   (2) 汉语读起来真好听，可是写起来太麻烦了。……

   (3) 其实汉字也不是太难学，……

3. **口语活动。** Speaking activities.

   ①双人活动。 Pair work.

   请结合自己学习汉字的经历，跟同伴讨论一下汉字这种文字的优点和缺点。Use your own experiences of studying Chinese to discuss with your partner the strengths and weaknesses of the Chinese characters.

优点	缺点

② **小组活动**。Group work.

汉字是一种独特的文字，它跟你们国家的文字相似吗？哪些方面相同？哪些方面不同？请试着跟同学们说说你的看法。然后请一个同学代表本组向全班举例说明你们小组的看法。The Chinese character is a unique kind of script. Is it similar to the script in your country? In what are they similar? And in what are they different? Try to share your opinions with your group mates. Then choose a representative to present your group's opinions to the class.

要 求 Requirement

请尽量用上学到的句子或常用表达式。

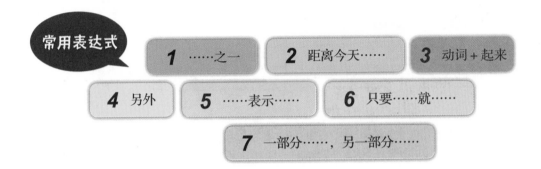

常用表达式

1 ……之一　　2 距离今天……　　3 动词+起来

4 另外　　5 ……表示……　　6 只要……就……

7 一部分……，另一部分……

9

Měiwèi   Yǐnshí

美味饮食

Delicious Food

1. 任务介绍 Introduction

现在世界各地都有很多中餐馆，那里的中国菜看起来又好吃、又特别。你知道这些菜是怎么烹饪的吗？你了解中国饮食的特点吗？在这一单元，我们会听听中国饮食的特点，还会读到一个中国洋女婿的生活故事。Now there are many Chinese restaurants all over the world, and the dishes there look special and delicious. Do you know how to prepare those dishes? In this unit, we will hear about the distinguishing features of the Chinese diet, and then will read about the life-story of a foreign son-in-law in a Chinese family.

2. 热身活动 Warm-Up

1. 图片里的这些中国菜和食物你都吃过吗？试着说说这些菜的名字。

Have you tried the Chinese dishes and food shown in pictures? Try to tell the names of these dishes.

2. 你猜猜下面是什么烹饪方法？说说上题图片里的菜和食物用的是什么烹饪方法。

Guess what cooking methods are below? Say the methods used to cook the dishes and food shown in last page.

1. 煮 boil ____   2. 蒸 steam ____   3. 炖 stew ____   4. 烤 roast ____   5. 炸 fry ____   6. 炒 stir-fry ____

第 1 课 小菜肴，大智慧

Xiǎo càiyáo, dà zhìhuì

Small dishes, great wisdom

很多外国人非常痴迷中国的美食，觉得中国菜又好吃、又特别。下面我们一起听听中国饮食的几个特点。Many foreigners are often obsessed with Chinese cuisine, believing it to be both special and delicious. Next, we will hear about some of the characteristics of the Chinese diet.

1 听 Listen 🎧 9-01

听录音，猜一猜下面词语的意思，并将每个词语与相应的翻译连线。Listen to the recording to guess the meaning of the words and match each word with their corresponding translation.

1 程序 chéngxù n
2 复杂 fùzá adj
3 烹饪 pēngrèn v
4 各式各样 gè shì gè yàng
5 菜系 càixì n
6 之间 zhījiān
7 食物 shíwù n
8 夹 jiā v
9 分量 fènliàng n
10 分享 fēnxiǎng v
11 顿 dùn mw

cook
procedure
cuisine
complicated
food
between
clamp
used to indicate frequency of food, etc
weight
share
various kinds of

> **小贴士 Tip**
>
> 你可以选择再听一遍录音，并试着将带有这些词语的句子或其他关键词记录下来。
>
> You may listen to the recording once again and try to write down the sentences containing these words or other key words.

2 听和说 Listen and Speak

1. 请听第二遍录音，判断对错。Listen to the recording for the second time, decide if the sentences are true or false. 🎧 9-01

(1) 马丁非常喜欢中国菜，而且还很会做中国菜。　　　（　　）

(2) 做中国菜用的东西马丁都认识，但是烹饪程序太复杂。　（　　）

(3) 马丁很喜欢烹饪，常在家动手做中国菜。　　　（　　）

(4) 中国人爱吃，也知道怎么挑选好吃的菜。 （　　）

(5) 中国每个地方都有很多不一样的菜肴。 （　　）

(6) 山东菜最有名，喜欢吃的中国人最多。 （　　）

(7) 中国人常把食物放在一起，自己夹自己想吃的。 （　　）

(8) 在英国，菜的分量比中国的大，每个人点一个菜就差不多了。 （　　）

(9) 中国人吃得比较少，所以菜的分量比较小。 （　　）

(10) 中国人习惯大家一起分享食物，每顿饭都有好几个菜。 （　　）

2. 双人活动。Pair work.

① 请听第三遍录音，根据表格提示记录你听到的要点。Listen to the recording for the third time, take notes of the main points according to the hints in the following table. 🎧 9-01

	中国菜的特点 *Characteristics of Chinese foods*
烹饪	有很多烹饪方法，如：……
菜系	
用餐方式	

② 刚才听到了三个人介绍中国菜跟其他国家的菜之间的区别。请你根据自己的听力记录，跟同伴讨论一下，总结出中国菜有哪些特点。Just now, we heard the differences between Chinese and other countries' cuisine from three persons. Use your listening notes to discuss with your partner and conclude what are the distinguishing features of Chinese cuisine.

要　求 Requirement

请用上"在……方面，……"，例如：在烹饪方面，中国菜有很多烹饪方法。

3. **小组活动**。Group work.

在你们国家，你到中国餐馆吃过中餐吗？或者你去过中国吃过地道的中餐吗？请你参考上面听到的中国菜的特点，介绍一下你们国家食物的特点，跟中餐有什么不同。然后请一个同学代表本组向全班做口头报告。Have you been to a Chinese restaurant in your country? Or have you eaten authentic Chinese cuisine in China? Referring to the features you have heard, introduce the distinguishing features of your country's cuisine and how it differs from Chinese cuisine. Then choose a representative to present your group's ideas to the class.

> **要　求** Requirement
> ···
> 请尽量用上学到的句子或常用表达式。

常用表达式

1 做菜的程序很复杂　　**2** 一点儿也不想动手做

3 各式各样的菜　　**4** 每个菜系之间非常不一样　　**5** 自己点自己的

6 一起分享食物

第2课 民以食为天

Mín yǐ shí wéi tiān

Hunger breeds discontent

吃饭是每个人生活中一件重要的事。如果每天都可以享受到美味的饭菜，生活是多么快乐啊！下面就是一个中国洋女婿的快乐生活，我们一起来读一读。Dining is an important part of everyone's life. If we can have delicious food every day, how happily is our life! Next, let's read about the happy life of a foreign son-in-law of a Chinese family together.

🎧 9-02

　　女婿是美国人，我们在美国**探亲期间**，①逢周末或放假，常到外面餐馆去吃饭，像意大利餐、日本餐、印度餐、中餐什么的都尝过了，美国的**快餐**吃得就更多了，但要让我说出哪些菜好吃、哪些菜不好吃，我还真说不出来。给我**印象**最**深**的就是美国中餐馆里的中餐**味道**有些**变**了，女儿说这是②为了**迎合**美国人的口味，跟**地道**的中国菜不太一样。

　　平时女儿、女婿工作忙，每天做饭的**任务**自然就**落**到了我身上。记得他们第一次吃我做的中餐时，女儿和女婿看到餐桌上**摆**着的红烧肉、糖醋鱼、家常豆腐，在旁边③连连说好吃。女儿从小就不怎么会做菜，再加上工作忙、没有时间，因此每天吃饭只做两个菜就**凑合**了。女婿拿筷子的样子看起来有些**别扭**，用起来也不如我们**熟练**，但是他只要吃中餐，一定用筷子，不用**刀叉**，因为他认为不用筷子就吃不出中餐的味道。

　　每次我做饭他都吃得**津津有味**，而且吃得很多，④起码有女儿和我两个人的饭量那么多。他常常一边吃，一边"埋怨"我做得太好吃，都让他变胖了。看着他那么爱吃，我做起饭来也很高兴，每天都换着**花样**给他们做。女婿跟我们的习惯有点儿不同，我们习惯饭后喝汤或喝**粥**，但

86

是他一吃饭就先倒一杯冰水，不喝粥也不喝汤，这一点我们老**两口儿**总是想不明白。

一年的探亲生活，我们家差不多都⑤**以**中餐**为**主，但有时也吃吃西餐，饮食上中西**结合**，给我们一家人的生活带来了很多快乐。

Nǚxu shì Měiguórén, wǒmen zài Měiguó tànqīn qījiān, ①féng zhōumò huò fàngjià, cháng dào wàimiàn cānguǎn qù chīfàn, xiàng Yìdàlì cān, Rìběn cān, Yìndù cān, Zhōngcān shénme de dōu chángguo le, Měiguó de kuàicān chī de jiù gèng duō le, dàn yào ràng wǒ shuōchū nǎxiē cài hǎochī, nǎxiē cài bù hǎochī, wǒ hái zhēn shuō bu chūlái. Gěi wǒ yìnxiàng zuì shēn de jiùshì Měiguó Zhōngcānguǎn lǐ de Zhōngcān wèidào yǒuxiē biàn le, nǚ'ér shuō zhè shì ②wèile yínghé Měiguórén de kǒuwèi, gēn dìdao de Zhōngguó cài bú tài yíyàng.

Píngshí nǚ'ér, nǚxu gōngzuò máng, měi tiān zuòfàn de rènwu zìrán jiù luòdào le wǒ shēnshang. Jìde tāmen dì-yī cì chī wǒ zuò de Zhōngcān shí, nǚ'ér hé nǚxu kàndào cānzhuō shàng bǎizhe de hóngshāoròu, tángcùyú, jiācháng dòufu, zài pángbiān ③liánlián shuō hǎochī. Nǚ'ér cóngxiǎo jiù bù zěnme huì zuòcài, zài jiāshàng gōngzuò máng, méiyǒu shíjiān, yīncǐ měitiān chīfàn zhǐ zuò liǎng ge cài jiù còuhe le. Nǚxu ná kuàizi de yàngzi kàn qǐlai yǒuxiē bièniu, yòng qǐlai yě bùrú wǒmen shúliàn, dànshì tā zhǐyào chī Zhōngcān, yídìng yòng kuàizi, búyòng dāochā, yīnwèi tā rènwéi bú yòng kuàizi jiù chī bu chū Zhōngcān de wèidào.

Měi cì wǒ zuòfàn tā dōu chī de jīnjīn yǒuwèi, érqiě chī de hěn duō, ④qǐmǎ yǒu nǚ'ér hé wǒ liǎng ge rén de fànliàng nàme duō. Tā chángcháng yìbiān chī, yìbiān "mányuàn" wǒ zuò de tài hǎochī, dōu ràng tā biàn pàng le. Kànzhe tā nàme àichī, wǒ zuò qǐ fàn lái yě hěn gāoxìng, měi tiān dōu huàn zhe huāyàng gěi tāmen zuò. Nǚxu gēn wǒmen de xíguàn yǒu diǎnr bùtóng, wǒmen xíguàn fànhòu hētāng huò hēzhōu, dànshì tā yì chīfàn jiù xiān dào yì bēi bīngshuǐ, bù hēzhōu yě bù hētāng, zhè yì diǎn wǒmen lǎo liǎngkǒur zǒngshì xiǎng bu míngbai.

Yì nián de tànqīn shēnghuó, wǒmen jiā chàbuduō dōu ⑤yǐ Zhōngcān wéi zhǔ, dàn yǒushí yě chīchi xīcān, yǐnshí shang zhōngxī jiéhé, gěi wǒmen yìjiārén de shēnghuó dàilái le hěn duō kuàilè.

词语 Vocabulary 🎧9-03

1	探亲	tànqīn	v	visit relatives	6	味道	wèidào	n	taste
2	期间	qījiān	n	period	7	变	biàn	v	change
3	快餐	kuàicān	n	fast food	8	迎合	yínghé	v	cater to
4	印象	yìnxiàng	n	impression	9	地道	dìdao	adj	authentic
5	深	shēn	adj	deep	10	任务	rènwu	n	task

11	落	luò	v	fall
12	摆	bǎi	v	place
13	凑合	còuhe	v	make do
14	别扭	bièniu	adj	awkward
15	熟练	shúliàn	adj	proficient
16	刀叉	dāochā	n	knife and fork
17	津津有味	jīnjīn yǒuwèi		with relish
18	花样	huāyàng	n	pattern
19	粥	zhōu	n	congee

| 20 | 两口儿 | liǎngkǒur | n | married couple |
| 21 | 结合 | jiéhé | v | combine |

专有名词 Proper Nouns

1	意大利	Yìdàlì		Italy
2	印度	Yìndù		India
3	红烧肉	hóngshāoròu		braised pork
4	糖醋鱼	tángcùyú		sweet and sour fish
5	家常豆腐	jiācháng dòufu		home-style tofu

语言点 Language Points

①逢

动词，表示碰到、遇见。后边常接表示时间的词或小句。逢 is a verb meaning *to come upon, meet,* or *encounter*. It is often followed by a word or clause related to time.

(1) 每逢星期日，他都要回家看看父母。

(2) 在中国逢年过节的时候，每家都会准备各式各样好吃的。

(3) 每逢考试，学生们就比较紧张，喜欢问老师问题。

☞(4) **逢周末或放假，常到外面餐馆去吃饭。**

练一练 Practice

(1) _____，老人就高兴地跟我们讲以前的事。

(2) _____，就会有越来越多的人感冒。

(3) 每逢夏天去海边玩的时候，_____。

②为了

介词，用于引出动作、行为的原因或目的。为了 is a preposition. It leads to the reason or aim for an action or behaviour.

(1) 为了不迟到，麦克每天六点半就起床了。

(2) 为了我们的幸福生活，一起努力工作吧。

(3) 马丁做的这些，都是为了他女朋友。

☞(4) **为了迎合美国人的口味，（美国的中餐）跟地道的中国菜不太一样。**

比较 为了/为

(1) 两者都可引出动作或行为的原因，但"为"常用在主语后。Both can be used to lead to the reason for an action or behaviour, though 为 is usually used after the subject.

    a. 大家都<u>为</u>这件事生气。   √

    b. 大家都<u>为了</u>这件事生气。   ×

    c. <u>为了</u>这件事，大家都生气了。   √

(2) 两者都可引出动作或行为的目的，"为了"常用在主语前；"为"常用在"为……而……"这一结构中。Both can lead to the aim of an action or behaviour. 为了 usually precedes the subject; 为 is usually used in the structure 为……而…….

    a. <u>为</u>贪图便宜<u>而</u>草率决定。   √

    b. <u>为了</u>贪图便宜，她草率决定买了那件衣服。   √

练一练 Practice

(1) ＿＿＿＿＿＿＿＿＿＿，人们都努力地工作。

(2) 马丁终于找到了一份适合自己的工作，＿＿＿＿＿＿＿＿＿＿。

(3) ＿＿＿＿＿＿＿＿＿＿，大家已经准备了好几个月。

3 **连连**

副词，表示动作连续不断。连连 is an adverb which indicates that an action is continuous.

(1) 当警察把钱包交给他时，他<u>连连</u>说谢谢。

(2) 听了老师的建议后，他<u>连连</u>点头同意。

(3) 他爬到山顶后，<u>连连</u>向我们招手。

☞(4) **女儿和女婿看到餐桌上摆着的红烧肉、糖醋鱼、家常豆腐，在旁边连连说好吃。**

练一练 Practice

(1) 学校的足球比赛我们班赢了，＿＿＿＿＿＿＿＿＿。

(2) 在路上我不小心把前面的人撞了，＿＿＿＿＿＿＿＿＿。

(3) 他家很不好找，上次去他家，＿＿＿＿＿＿＿＿＿。

4 **起码**

形容词，表示最低限度、至少。后面常接动词或数量，还可以用在主语前。起码 is an adjective meaning the minimum or the least. It is usually followed by a verb or a quantifier and can also be used before the subject.

(1) 那本书非常好看，我<u>起码</u>看了三遍（time）。

(2) 这件事我不能决定，<u>起码</u>要得到经理的同意。

(3) 很多人不知道这个通知，<u>起码</u>我不知道。

☞(4)（女婿）吃得很多，<u>起码</u>有女儿和我两个人的饭量那么多。

> **练一练** Practice
>
> (1) 她怎么现在还没到啊？我们_____。
>
> (2) _____，才能知道他为什么这么做。
>
> (3) 这个问题太难了，没人能回答得了，_____。

5 以……为……

固定结构，"为"后面是形容词，常常是单音节的，表示比较起来怎么样。以……为…… is a fixed structure. 为 is followed by an adjective, which usually is monosyllabic. It describes a situation after a comparison.

(1) 作为学生，我们应该<u>以</u>学习<u>为</u>主。

(2) 现在有越来越多的人不工作，每天<u>以</u>啤酒<u>为</u>乐。

(3) 我们这个世界上还是<u>以</u>好人<u>为</u>多。

☞(4) 一年的探亲生活，我们家差不多都<u>以</u>中餐<u>为</u>主。

> **练一练** Practice
>
> (1) 爱情、亲情、友情哪个更重要呢？我觉得_____。
>
> (2) 虽然这两项工作都很重要，_____。
>
> (3) 遇到问题要听听别人的意见，但是最后_____。

活动 Activities

1. **根据课文问答。** Ask and answer according to the text.

(1) 美国中餐馆里的中餐味道为什么跟地道的中国菜不一样？

(2) "我"探亲期间，家里平时谁做饭呢？

(3) 女婿用筷子用得怎么样？他为什么吃中餐时一定要用筷子？

(4) 女婿喜欢吃中餐吗？为什么？

(5) 他们老两口想不通什么事情？

2. **结合你对课文的理解，在下面各个句子的基础上，接着每个句子再口头表述一个完整的意思。** Based on your understanding of the text, present orally a complete meaning of each sentence below.

(1) 在学校附近有很多饭馆，逢周末或节假日，……

(2) 在我小时候，爸爸妈妈工作都很忙，没有时间做饭。……

(3)玛丽做菜非常好吃，上周末她邀请我们去她家做客了。……

3. 口语活动。 Speaking activities.

①双人活动。 Pair work.

在你们家，谁每天负责做饭？谁做的饭菜最好吃呢？家人的拿手菜是什么？请你跟同伴说说你们家的情况。 Who is responsible for cooking in your home? Who cooks the most delicious food? What are your "house specials"? Talk about your family situation with your partner.

②小组活动。 Group work.

每个人生活中都有一次或几次难忘的就餐经历，可能是因为饭菜特别美味，也可能是因为特别糟糕。请你跟小组的同学说说你最难忘的饮食经历。然后每组请一个同学代表本组向全班介绍一下你们组的难忘经历。 Everyone has one or two unforgettable dining experiences in their life. It could be because the food was especially delicious, or maybe terribly bad. Share your most unforgettable dining experiences with your group mates. Then choose a representative to present the experiences to the class.

要 求 Requirement

请尽量用上学到的句子或常用表达式。

常用表达式

1 逢……
2 像……什么的
3 给……印象最深的就是……
4 看起来……
5 ……不如……
6 起码……
7 以……为主
8 给……带来了……

91

10

Dúshēng   Zǐnǚ

独生子女

The Only Child

1. 任务介绍 Introduction

你是独生子女吗？在中国，现在很多年轻人都是独生子女，而且很多独生子女已经到了结婚、生孩子的年龄。他们也希望自己的孩子是独生子女吗？在这个单元中，我们会听到一些家庭对独生子女问题的看法，读一下他们在教育孩子时遇到的问题。Are you an only child? In China nowadays, many young people are the only children. In addition, many only children are going to get married and at the age of giving birth. Do they hope that their children will also be without siblings? In this unit, we will hear the opinions of some families on the problem of the only child, and then will read about the problems they face when educating their children.

2. 热身活动 Warm-Up

1. 你明白下面这些图片的意思吗？你同意这些标语表达的意思吗？为什么？
Do you understand the pictures below? Do you agree with the sentiments of the slogans? Why?

2. 说说下面图片中的家庭是什么样的家庭？在你们国家哪种家庭比较多？
Can you say what kinds of families they are in the pictures? What kinds of families are most common in your country?

第 **1** 课 只生一个好

Zhǐ shēng yí ge hǎo

It's good to have only one child

在中国有的家庭只生一个孩子，有的家庭却希望有更多的孩子。关于这个问题，每个家庭都有不同的原因和看法。下面我们就听听这三个家庭的情况。Some Chinese families would like to have only one child, while some would like more. About this issue, every family has different opinions and reasons. Next, we will hear about the situations of these three families.

 听 Listen 🎧 10-01

听录音，猜一猜下面词语的意思，并将每个词语与相应的翻译连线。Listen to the recording to guess the meaning of the words and match each word with their corresponding translation.

1 规定 guīdìng *n* ············→ regulation

2 符合 fúhé *v*   take care of

3 所有 suǒyǒu *adj*   conform to

4 照顾 zhàogù *v*   pleasure

5 兄弟 xiōngdì *n*   of the same age

6 乐趣 lèqù *n*   brother

7 同龄 tónglíng *v*   alone

8 孤单 gūdān *adj*   active

9 性格 xìnggé *n*   cost

10 活泼 huópo *adj* personality

11 成本 chéngběn *n* all

> **小贴士 Tip**
>
> 你可以选择再听一遍录音，并试着将带有这些词语的句子或其他关键词记录下来。
> You may listen to the recording once again and try to write down the sentences containing these words or other key words.

2 听和说 Listen and Speak

1. 请听第二遍录音，判断对错。Listen to the recording for the second time and decide if the sentences are true or false. 🎧 10-01

(1) 刘芳生了笑笑从后，认为生活既快乐，又幸福。 (   )

(2) 刘芳觉得照顾孩子要花很多时间。 (   )

(3) 刘芳符合国家规定的条件，准备再生一个孩子。 (   )

93

(4) 小吴生了个儿子，希望以后能再生一个孩子。 （　　）

(5) 小吴和老公都是独生子女，小时候总觉得很孤单。 （　　）

(6) 小吴周围的很多独生子女夫妻都只想生一个孩子。 （　　）

(7) "我"现在有一个独生女，有时候担心孩子会孤单。 （　　）

(8) 现在养孩子会花很多钱，成本很大。 （　　）

(9) "我"生两个孩子的话，就不可能让孩子都上最好的学校。 （　　）

(10) 独生子女长大以后，在照顾父母方面没什么压力。 （　　）

2. 双人活动。 Pair work.

① 请听第三遍录音，根据表格提示记录你听到的要点。Listen to the recording for the third time, take notes of the main points according to the hints in the following table. 🎧 10-01

	看法 Opinions	原因 Reasons
刘芳	只想生一个孩子	忙不过来，没有时间
小吴		
"我"		

② 请你根据自己的听力记录，跟同伴讨论一下刚才听到的三个人对独生子女的看法。他们都只想生一个孩子，还是想多生几个？为什么？Use your listening notes to discuss with your partner these three people's opinions on the only children that you have just heard. Do they just wish to have one child or more? Why?

要　求 Requirement

请用上"如果……，（就）……"，例如：如果有了更多的孩子，刘芳觉得一定忙不过来。

3. **小组活动。** Group work.

你是独生子女吗？如果是你，你打算要几个孩子？为什么？请你参考上面三个人的看法，跟同学们介绍一下自己的打算。然后请一个同学代表本组向全班做口头报告。
Are you an only child? How many children do you plan to have? Why? Referring to these three people's opinions you have heard, introduce your plan to your group mates. Then choose a representative to present your group's ideas to the class.

要　求 Requirement

请尽量用上学到的句子或常用表达式。

常用表达式

1 根据国家规定　　2 符合条件

3 所有的快乐和幸福　　4 忙不过来　　5 享受……的那种乐趣

6 性格开朗活泼　　7 养孩子的成本

第 **2** 课 隔代教育

Inter-generational education

怎么把孩子教育好，是所有家庭要面对的共同问题。在每个家庭里，老人和年轻父母的想法不同，因此常常会出现一些矛盾。那么，他们谁对谁错呢？让我们一起读一读下面的课文。How to educate a child well is the common issue faced by every family. In every home, the methods of parents and grandparents differ. For this reason, a contradiction often appears. So who is right? Let's read the text below together.

🎧 10-02   ①<u>随着</u>80**年代**出生的第**一代**独生子女到了结婚、生孩子的年龄，一种新的家庭**模式**——"421家庭"慢慢成为中国家庭的**主流**，就是一个家庭中有四个老人、一对夫妻和一个孩子。

每到节假日，年轻家长们就会把孩子带到老人的家里，尤其是寒暑假，因为要工作，孩子一般就让老人照顾。②<u>在大部分独生子女看来</u>，父母帮自己照顾孩子，是一件幸福的事情。但③<u>同时</u>，他们又担心父母用老一代的**教育**方法教育小孩，影响孩子的**成长**。在一家人享受幸福生活的同时，因**隔代**教育和年轻父母教育方式不同而引起的**矛盾**也开始慢慢暴露出来。

琳琳妈妈最近就很**苦恼**：她好不容易才让琳琳**养成**了**按**时按量吃饭、少吃零食的好习惯，可是在琳琳去了奶奶家一个星期以后，这些好习惯就**消失**了。原来，在奶奶家的时候，琳琳常常在吃饭的时候去看**动画片**，奶奶④<u>并不</u>**阻止**，反而拿着饭碗**蹲**在她身边**喂**。不仅如此，琳琳还养成了很多坏习惯：不喜欢吃饭，随便吃零食；平时妈妈不让多喝的**碳酸饮料**也随便喝……琳琳妈妈跟奶奶**沟通**，想让奶奶改变一下教育方法。奶奶却说，孩子只有**情绪**好，才能身体好。要是管得太多的话，对孩子的健康不好。

⑤在这个问题上，两代人都有**道理**。想让孩子健康成长，就要让孩子有一个好的生活习惯，同时也要让孩子保持一个好心情。其实，在很多方面，两代人的教育方法和观念都不太一样。隔代教育对孩子好还是不好呢？很多人都有自己的看法。但是隔代教育已经成了中国特色，怎么才能把孩子教育好已经不是独生子女家长们一代人的事了，还要考虑老一才代人的**想法**。

①Suízhe bāshí **niándài** chūshēng de dì-yī **dài** dúshēng zǐnǚ dào le jiéhūn, shēng háizi de niánlíng, yì zhǒng xīn de jiātíng **móshì** ——"sì-èr-yī jiātíng" mànman chéngwéi Zhōngguó jiātíng de **zhǔliú**, jiùshì yí ge jiātíng zhōng yǒu sì ge lǎorén, yí duì fūqī hé yí ge háizi.

Měi dào jiéjiàrì, niánqīng jiāzhǎngmen jiù huì bǎ háizi dàidào lǎorén de jiāli, yóuqí shì hánshǔjià, yīnwèi yào gōngzuò, háizi yìbān jiù ràng lǎorén zhàogù. ②Zài dà bùfen dúshēng zǐnǚ kànlái, fùmǔ bāng zìjǐ zhàogù háizi, shì yí jiàn xìngfú de shìqing. Dàn ③tóngshí, tāmen yòu dānxīn fùmǔ yòng lǎo yí dài de **jiàoyù** fāngfǎ jiàoyù xiǎohái, yǐngxiǎng háizi de **chéngzhǎng**. Zài yìjiārén xiǎngshòu xìngfú shēnghuó de tóngshí, yīn **gédài** jiàoyù hé niánqīng fùmǔ jiàoyù fāngshì bùtóng ér yǐnqǐ de **máodùn** yě kāishǐ mànman bàolù chūlai.

Línlin māma zuìjìn jiù hěn **kǔnǎo**: Tā hǎo bù róngyì cái ràng Línlin **yǎngchéng** le **ànshí** ànliàng chīfàn, shǎo chī língshí de hǎo xíguàn, kěshì zài Línlin qù le nǎinai jiā yí ge xīngqī yǐhòu, zhèxiē hǎo xíguàn jiù **xiāoshī** le. Yuánlái, zài nǎinai jiā de shíhou, Línlin chángcháng zài chīfàn de shíhou qù kàn **dònghuàpiàn**, nǎinai ④bìng bù **zǔzhǐ**, fǎn'ér názhe fànwǎn **dūn** zài tā shēnbiān **wèi**. Bùjǐn rúcǐ, Línlin hái yǎngchéng le hěn duō huài xíguàn: bù xǐhuan chīfàn, suíbiàn chī língshí; píngshí māma bú ràng duō hē de **tànsuān yǐnliào** yě suíbiàn hē... Línlin māma gēn nǎinai **gōutōng**, xiǎng ràng nǎinai gǎibiàn yíxià jiàoyù fāngfǎ. Nǎinai què shuō, háizi zhǐyǒu **qíngxù** hǎo, cái néng shēntǐ hǎo. Yàoshi guǎn de tài duō de huà, duì háizi de jiànkāng bù hǎo.

⑤Zài zhège wèntí **shàng**, liǎng dài rén dōu yǒu **dàolǐ**. Xiǎng ràng háizi jiànkāng chéngzhǎng, jiù yào ràng háizi yǒu yí ge hǎo de shēnghuó xíguàn, tóngshí yě yào ràng háizi bǎochí yí ge hǎo xīnqíng. Qíshí, zài hěn duō fāngmiàn, liǎng dài rén de jiàoyù fāngfǎ hé guānniàn dōu bú tài yíyàng. Gédài jiàoyù duì háizi hǎo háishi bù hǎo ne? Hěn duō rén dōu yǒu zìjǐ de kànfǎ. Dànshì gédài jiàoyù yǐjīng chéng le Zhōngguó tèsè, zěnme cái néng bǎ háizi jiàoyù hǎo yǐjīng bú shì dúshēng zǐnǚ jiāzhǎngmen yí dài rén de shì le, hái yào kǎolù lǎo yí dài rén de **xiǎngfǎ**.

词语 Vocabulary 🎧 10-03

1	年代	niándài	n	era	3	模式	móshì	n	model
2	代	dài	n	generation	4	主流	zhǔliú	n	mainstream

5	教育	jiàoyù	n/v	education; educate
6	成长	chéngzhǎng	v	grow
7	隔代	gédài		inter-generational
8	矛盾	máodùn	n	contradiction
9	苦恼	kǔnǎo	adj	worried
10	养成	yǎngchéng	v	develop
11	按	àn	prep	according to
12	消失	xiāoshī	v	vanish
13	动画片	dònghuàpiàn	n	cartoon

14	阻止	zǔzhǐ	v	prevent
15	蹲	dūn	v	squat
16	喂	wèi	v	feed
17	碳酸饮料	tànsuān yǐnliào		carbonated drink
18	沟通	gōutōng	v	communicate
19	情绪	qíngxù	n	mood
20	道理	dàolǐ	n	reason
21	想法	xiǎngfǎ	n	idea

专有名词 Proper Noun

| 琳琳 | Línlín | Linlin |

语言点 Language Points

1 随着

介词，①表示某动作行为紧跟在某件事情之后或者某种情况出现之后，常用在句首；②还可表示事物发展变化的前提条件或者原因，结构多为"随着……的……"。随着 is a preposition. ①It indicates that a certain action or behaviour happens closely after something or the emergence of a situation. It is usually used at the beginning of a sentence. ② It can also indicate the prerequisite conditions or reasons of an object's development and change, often in the structure 随着……的…….

(1) 随着天气越来越暖和，人们更喜欢到外面运动了。①

(2) 随着孩子的出生，他们家的生活发生了很大变化。②

(3) 随着奶奶的到来，我们家多了很多快乐。②

☞(4) **随着80年代出生的第一代独生子女到了结婚、生孩子的年龄，一种新的家庭模式慢慢成为中国家庭的主流。①**

练一练 Practice

(1) _____，孩子们越来越能理解父母。

(2) _____，穿毛衣的人越来越多。

(3) _____，他的身体也越来越好。

2 在……看来

固定结构，常作插入语，表示下文的结论、观点或看法是谁认为的。在……看来 is a fixed structure, often acting parenthetically to indicate whose it is the following conclusion, point of view or opinion.

(1) 在我看来，那个问题很好解决。

(2) 在老师看来，所有的考试都很容易。

(3) 在大家看来，早上八点出发时间最合适。

☞(4) **在大部分独生子女看来，父母帮自己照顾孩子，是一件幸福的事情。**

练一练 Practice

(1) _____，爱情是最重要的。

(2) _____，去海边旅行是最好的解压方式。

(3) 在我看来，这本汉语书_____。

3 同时

连词或名词。①作连词时，表示进一步说，常和"又、也、还"连用；②作名词时，表示动作行为在同一个时间发生，常用结构"在……（的）同时，……"。同时 is a conjunction or noun. ① As a conjunction, it means *furthermore* and is usually used in conjunction with 又, 也 or 还. ② As a noun, it indicates that actions or behaviours are occurring simultaneously, and is usually used in the structure 在……（的）同时，…….

(1) 他是我们的老师，同时也是我们的好朋友。①

(2) 在学习汉语的同时，我认识了很多中国朋友。②

☞(3) **父母帮自己照顾孩子，是一件幸福的事。但同时，他们又担心父母用老一代的教育方法教育小孩。①**

☞(4) **在一家人享受幸福生活的同时，因隔代教育和年轻父母教育方式不同而引起的矛盾也开始慢慢暴露出来。②**

练一练 Practice

(1) 麦克不仅喜欢玛丽，_____。

(2) _____，还在外贸公司工作。

(3) 医生告诉我，_____，要多喝水少抽烟。

4 并不/没有

副词，用于加强否定语气，放在"不、没（有）"等否定词前边，表示反驳、说明真实情况的意思。并 is an adverb used to emphasise a negative tone and used preceding the negatives 不 or 没 to make a retort and explain the true meaning of the situation.

(1) 你让他一定通知我，可是他并没有告诉我。

(2) 别担心，她并不知道那件事。

(3) 马丁说感冒了，不能来上课，其实他并没有感冒。

☞(4) **琳琳常常在吃饭的时候去看动画片，奶奶并不阻止。**

练一练 Practice

(1) 虽然他病了，_____。

(2) 同学们都说已经复习课文了，_____。

(3) 虽然现在已经是冬天了，_____。

5 在……上

固定结构，①表示在某个地方；②也可以引申表示"……方面"。在……上 is a fixed structure. ① It mean *in some place*. ② It also has a second meaning of ……方面 (aspect).

(1) 这是一种可以<u>在</u>桌子<u>上</u>玩的游戏。①

(2) <u>在</u>学习<u>上</u>，每个同学都很认真。②

(3) 她<u>在</u>穿戴<u>上</u>，每天都很注意。②

☞(4) **<u>在</u>这个问题<u>上</u>，两代人都有道理。**②

练一练 Practice

(1) _____，有很大的进步。

(2) _____，很多都有不同的看法。

(3) 在生活上，_____。

活动 Activities

1. 根据课文问答。 Ask and answer according to the text.

(1) 现在中国家庭的主流模式是什么？

(2) 对于老人帮忙照顾孩子这件事，年轻家长们怎么看？

(3) 妈妈好不容易让琳琳养成了什么好习惯？

(4) 为什么奶奶认为孩子不能管得太多？

(5) 你觉得在对琳琳的教育上，妈妈和奶奶谁做得对？为什么？

2. 结合你对课文的理解，在下面各个句子的基础上，接着每个句子再口头表述一个完整的意思。 Based on your understanding of the text, present orally a complete meaning of each sentence below.

(1) 大学毕业后，她就结婚生孩子了。可是现在工作越来越忙，根本没时间照顾孩子，……

(2) 我们有一个独生女，我们全家人都很爱她，可是老一代的教育方法跟我们年轻父母的不一样，比如……

(3) 隔代教育已经是中国家庭教育的特色。怎么能把孩子教育好呢？我认为……

3. 口语活动。 Speaking activities.

① 双人活动。 Pair work.

请你和同伴讨论一下在教育孩子的问题上，年轻父母跟老一代人在哪些方面一样？哪些方面不一样？ Discuss the problem of educating children with your partner. In which aspects are young parents the same as the older generation? And in which do they differ?

	一样的地方	不一样的地方
年轻父母		
老一代人		

② 小组活动。 Group work.

在你身边"隔代教育"这种现象多不多？请用自己的成长经历，或者你知道的故事，试着跟同学说说"隔代教育"的好处和坏处，讨论一下隔代教育和年轻父母教育这两种教育方式哪种更重要。最后请一个同学代表本组向全班举例说明你们小组的看法。Is there many cases of "inter-generational education" around you? Use your own experiences of growing-up or a story you know to discuss with your group mates the advantages and disadvantages of "inter-generational education". Discuss whether inter-generational education or the education given by young parents is more important. Then choose a representative to present your group's the opinions to the class.

要 求 Requirement

请尽量用上学到的句子或常用表达式。

常用表达式

1 随着……，……

2 在……看来，……

3 是一件……的事情

4 在……的同时，……

5 好不容易才……

6 ……并没/不，反而……

7 不仅如此，……还……

8 只有……才……

9 在……问题上，……都有道理

11

Xìjù   Wénhuà

戏剧文化
Drama and Culture

1. 任务介绍 Introduction

京剧是中国的传统艺术，你了解京剧吗？你知道京剧的特点吗？在这个单元，我们要听听京剧在外国人眼中是什么样子的，有些什么特点，还要学习京剧这种传统艺术遇到了什么难题，思考一下要怎么保护中国传统艺术。Peking Opera is a traditional Chinese art. Are you familiar with it? Do you know its characteristics? In this unit, we will hear about Peking Opera from the perspective of a foreigner on its characteristics. Then we will read the difficulties this kind of traditional art faces and think about how to protect this traditional Chinese arts.

2. 热身活动 Warm-Up

1. 你了解下面这些中国传统艺术吗？说说它们分别是什么。
Are you familiar with the traditional arts shown below? Talk about what they are.

2. 对比一下旁边这两幅图片，说说你的看法。
Compare these two pictures on the left and give your opinions.

第 1 课　神秘的东方歌剧

Shénmì de Dōngfāng gējù

The mysterious Eastern opera

京剧是一种独特的中国戏剧。在外国人眼中，它是什么样子的呢？有什么特点呢？现在我们就听听下面三段关于京剧的介绍。Peking Opera is a unique style of Chinese theatre, but how does it impress foreigners? Now let's hear three opinions on Peking Opera.

1 听 Listen 🎧 11-01

听录音，猜一猜下面词语的意思，并将每个词语与相应的翻译连线。Listen to the recording to guess the meaning of the words and match each word with their corresponding translation.

1　歌剧　gējù *n*　- - - - - - - - - - - - - ▶ opera

2　注重　zhùzhòng *v*　　role

3　角色　juésè *n*　　be interlink

4　演唱　yǎnchàng *v*　　sing (in a performance)

5　表演　biǎoyǎn *v*　　facial makeup in traditional Chinese opera

6　脸谱　liǎnpǔ *n*　　attach importance to

7　武打　wǔdǎ *v*　　*kung fu* fighting

8　艺术　yìshù *n*　　art

9　相通　xiāngtōng *v*　　boring

10　接受　jiēshòu *v*　　mysterious

11　神秘　shénmì *adj*　　accept

12　事实　shìshí *n*　　perform

13　枯燥　kūzào *adj*　　fact

> **小贴士 Tip**
>
> 你可以选择再听一遍录音，并试着将带有这些词语的句子或其他关键词记录下来。
> You may listen to the recording once again and try to write down the sentences containing these words or other key words.

2 听和说 Listen and Speak

1. 请听第二遍录音，判断对错。 Listen to the recording for the second time, decide if the sentences are true or false. 🎧 11-01

(1)　"唱"对京剧和歌剧来说，都特别重要。　　（　　）

(2)　京剧里的角色不同，演唱方法、表演方式也各不相同。　　（　　）

(3) 歌剧跟京剧的最大不同就是京剧的角色的特点都一样。　　　　（　　）

(4) 大龙来中国两年了，现在已经是一个京剧迷了。　　　　（　　）

(5) 刚开始时，大龙觉得京剧的音乐很好听。　　　　（　　）

(6) 武打很容易被外国人理解和接受。　　　　（　　）

(7) 各国的文化不同，所以很难理解别的国家的艺术。　　　　（　　）

(8) "老外"们认为京剧又有意思又神秘。　　　　（　　）

(9) "我"是京剧演员，看到外国朋友看懂了京剧就很高兴。　　　　（　　）

(10) 大部分外国人不懂中文，但觉得京剧很有意思，一点儿也不枯燥。　　　　（　　）

2. **双人活动。** Pair work.

① 请听第三遍录音，根据表格提示记录你听到的要点。Listen to the recording for the third time, take notes of the main points according to the hints in the following table. 🎧 11-01

	京剧的特点 *characteristics of Peking Opera*
第一个人	1. 注重唱 2. 不同特点的角色有不同的演唱方法 3. 服装也不同
第二个人	
第三个人	

② 听完这三个人关于京剧的介绍，请你根据自己的听力记录，跟同伴讨论一下，说说在外国人眼中，京剧有什么特点。After listening to the three introductions to Peking Opera, use your listening notes to discuss with your partner foreign perspectives on the characteristics of this art.

要　求 Requirement

请用上"首先……，然后……，另外……"，例如：首先京剧比较注重唱，然后不同的角色有不同的演唱方法，另外服装也不同。

3. 小组活动。 Group work.

你或者你的朋友、家人看过京剧吗？你或者他们看完京剧后，觉得怎么样呢？请你参考刚才听到的关于京剧的特点，跟同学们说说看京剧的经历和想法。然后请一个同学代表本组，向全班做口头报告。Have you, your friends or family been to see Peking Opera performance? What did you or they think after the performance? Referring to the characteristics of Peking Opera that you have heard about, share experience of and opinions on watching the Opera with your group mates. Then choose a representative to present your group's ideas to the class.

要　求 Requirement

请尽量用上学到的句子或常用表达式。

常用表达式

1 比较注重唱

2 服装、脸谱很独特

3 艺术是相通的

4 容易被全世界的人接受

5 既有意思又很神秘

6 看的就是个热闹

7 看不下去

第 2 课 墙里开花墙外香

Qiáng lǐ kāihuā qiáng wài xiāng

Ordinary at home, special elsewhere

随着经济和社会的发展，很多传统艺术文化离人们的生活越来越远了，京剧也是如此。怎么保护传统文化、解决传统文化遇到的难题呢？让我们一起来读一读下面的课文。With the development of society and the economy, traditional art culture is moving further and further from people's lives, such is the case with Peking Opera. How can we protect traditional culture, and solve the difficult problems it faces? Let's read the text below together.

🎧 11-02

在一家剧院里，一位京剧演员正坐在**镜子**前**化妆**。马上就要演出了，他却有些担心。①<u>在表演中</u>，他可以高高兴兴地跟着音乐，一边演唱，一边做出各种动作。但是演出**结束**、**幕布**落下时，他又不得不回到**现实**中，因为很可能这次演出跟以前的演出一样，大部分座位都是空的。

有着200多年历史的京剧艺术正在**失去**年轻**观众**，大部分中国年轻人更喜欢**现代**艺术节目，只有很少一部分人喜欢京剧。喜欢京剧的年轻人都是②<u>受爸爸、妈妈，甚至更老一代人的影响</u>，从小就对京剧感兴趣了。京剧在国内虽然有些受到**冷遇**，但是在国外却越来越受人**推崇**，已经被**提到**了和歌剧、芭蕾舞③相当的**地位**。在中国的不少外国人也很喜爱京剧这种中国传统艺术。

现在，中国**政府**正在通过各种方式，努力**保护**这种以前深受人们喜爱的戏剧。很多大**剧院**，也通过票价打折的方式，吸引更多的观众，这让年轻人有了更多的机会了解京剧这种传统艺术。不过有的专家认为："虽然京剧是中国独特的民族艺术，但是**时代发展**了，只有**创新**才能有**生命力**。否则，京剧就会跟歌剧一样，只在少数人的生活中**存在**。"所以他们建议京剧应该做些改变。但是京剧演员们却说，④<u>与</u>

其改变京剧里的那些独特部分，<u>不如</u>让人们了解京剧、对京剧产生兴趣。

那么京剧这种传统艺术⑤<u>究竟</u>应该怎么保护和发展呢？很多人都有自己的看法，但是无论如何，作为中国传统艺术的**代表**，京剧一定会受到人们越来越多的喜爱和**尊重**。

Zài yì jiā jùyuàn lǐ, yí wèi jīngjù yǎnyuán zhèng zuò zài jìngzi qián huàzhuāng. Mǎshàng jiù yào yǎnchū le, tā què yǒuxiē dānxīn.① Zài biǎoyǎn zhōng, tā kěyǐ gāogāoxìngxìng de gēnzhe yīnyuè, yìbiān yǎnchàng, yìbiān zuòchū gè zhǒng dòngzuò. Dànshì yǎnchū jiéshù, mùbù luòxià shí, tā yòu bù dé bù huídào xiànshí zhōng, yīnwèi hěn kěnéng zhè cì yǎnchū gēn yǐqián de yǎnchū yíyàng, dà bùfen zuòwèi dōu shì kōng de.

Yǒuzhe liǎngbǎi duō nián lìshǐ de jīngjù yìshù zhèngzài shīqù niánqīng guānzhòng, dà bùfen Zhōngguó niánqīngrén gèng xǐhuan xiàndài yìshù jiémù, zhǐyǒu hěn shǎo yí bùfen rén xǐhuan jīngjù. Xǐhuan jīngjù de niánqīngrén dōu shì② shòu bàba, māma, shènzhì gèng lǎo yí dài rén de yǐngxiǎng, cóngxiǎo jiù duì jīngjù gǎn xìngqù le. Jīngjù zài guónèi suīrán yǒuxiē shòudào lěngyù, dànshì zài guówài què yuè lái yuè shòurén tuīchóng, yǐjīng bèi tídào le hé gējù, bālěiwǔ③ xiāngdāng de dìwèi. Zài Zhōngguó de bù shǎo wàiguórén yě hěn xǐ'ài jīngjù zhè zhǒng Zhōngguó chuántǒng yìshù.

Xiànzài, Zhōngguó zhèngfǔ zhèngzài tōngguò gè zhǒng fāngshì, nǔlì bǎohù zhè zhǒng yǐqián shēnshòu rénmen xǐ'ài de xìjù. Hěn duō dà jùyuàn, yě tōngguò piàojià dǎzhé de fāngshì, xīyǐn gèng duō de guānzhòng, zhè ràng niánqīngrén yǒu le gèng duō de jīhuì liǎojiě jīngjù zhè zhǒng chuántǒng yìshù. Búguò yǒude zhuānjiā rènwéi: "Suīrán jīngjù shì Zhōngguó dútè de mínzú yìshù, dànshì shídài fāzhǎn le, zhǐyǒu chuàngxīn cái néng yǒu shēngmìnglì. Fǒuzé, jīngjù jiù huì gēn gējù yíyàng, zhǐ zài shǎoshùrén de shēnghuó zhōng cúnzài." Suǒyǐ tāmen jiànyì jīngjù yīnggāi zuò xiē gǎibiàn. Dànshì jīngjù yǎnyuánmen què shuō,④ yǔqí gǎibiàn jīngjù lǐ de nàxiē dútè bùfen, bùrú ràng rénmen liǎojiě jīngjù, duì jīngjù chǎnshēng xìngqù.

Nàme jīngjù zhè zhǒng chuántǒng yìshù⑤ jiūjìng yīnggāi zěnme bǎohù hé fāzhǎn ne? Hěn duō rén dōu yǒu zìjǐ de kànfǎ, dànshì wúlùn rúhé, zuòwéi Zhōngguó chuántǒng yìshù de dàibiǎo, jīngjù yídìng huì shòudào rénmen yuè lái yuè duō de xǐ'ài hé zūnzhòng.

词语 Vocabulary 🎧 11-03

1	镜子	jìngzi	n	mirror	3	结束	jiéshù	v	finish
2	化妆	huàzhuāng	v	make up	4	幕布	mùbù	n	curtain

107

5	现实	xiànshí	n	reality	15	剧院	jùyuàn	n	theatre
6	失去	shīqù	v	lose	16	时代	shídài	n	time
7	观众	guānzhòng	n	audience	17	发展	fāzhǎn	v	develop
8	现代	xiàndài	n	modern	18	创新	chuàngxīn	n/v	innovation; innovate
9	冷遇	lěngyù	n	cold shoulder	19	生命力	shēngmìnglì	n	vitality
10	推崇	tuīchóng	v	hold in esteem	20	存在	cúnzài	v	exist
11	提到	tídào	v	improve	21	代表	dàibiǎo	n/v	representative; represent
12	地位	dìwèi	n	status					
13	政府	zhèngfǔ	n	government	22	尊重	zūnzhòng	v	respect
14	保护	bǎohù	v	protect					

语言点 Language Points

1 在……中

固定结构，①表示在某个地方；②也可以引申表示某个范围或过程。 The fixed structure 在……中 means ① *in a certain place;* ② *a certain process* or *surroundings.*

(1) 放在衣服口袋中的那支笔就是我的。①

(2) 在学校篮球比赛中，我们班同学得了第一名。②

(3) 在我的印象中，她是一个非常愿意帮助朋友的人。②

☞(4) **在表演中，他可以高高兴兴地跟着音乐，一边演唱，一边做出各种动作。②**

比较 在……中/在……上

(1) 两个结构都可以表示在某个地方。Both structures indicate *in a certain place.*

   a. 手机在桌子上。√

   b. 手机在口袋中。√

(2) 两个结构的引申用法不同。"在……上"表示"……方面"；"在……中"表示某范围或过程。The extended meaning of two structures differs. 在……上 means *aspects,* while 在……中 means *a certain place or surroundings.*

   a. 在我印象中，她很喜欢喝啤酒。√

   b. 在我印象上，她很喜欢喝啤酒。×

(3) 如果介词"在"后面的对象，既可以是一个过程，又可以指一个方面，那两个结构可互换。If the object following the preposition 在 is a process or refers to an aspect of something, the two structures are interchangeable.

   a. 他在工作中，遇到了很多问题。√

   b. 他在工作上，遇到了很多问题。√

练一练 Practice

(1) _____，我了解了他对这件事的看法。

(2) _____，安妮常常帮助别的同学。

(3) 在每个人的生活中，_____。

❷ 受

动词，①表示接受、得到，后面所带宾语常有好或积极方面的意义；②可以表示遭到，后面的宾语有不好或消极方面的意义；③可以表示忍受，常用"受得/不了"这一结构。受 is a verb. ① It means *to receive or obtain* with the following object usually having a good or positive meaning. ② It can also mean *to suffer* with the following object having a bad or negative meaning. ③ In addition, it can also mean *to put up with* usually in the structure 受得/不了.

(1) 很多人都喜欢喝这种饮料，它一开始就<u>受</u>到了人们的喜欢。①

(2) 这里的夏天太热了，他快<u>受</u>不了了。③

☞(3) **喜欢京剧的年轻人都是<u>受</u>爸爸、妈妈，甚至更老一代人的影响。①**

☞(4) **京剧在国内虽然有些<u>受</u>到冷遇②，但是在国外却越来越<u>受</u>人推崇①。**

练一练 Practice

(1) 那个饭馆的菜特别好吃，_____。

(2) 孩子的性格一般_____。

(3) 爷爷非常愿意帮助身边的人，所以_____。

❸ 相当

形容词或副词。①作形容词时，表示数量、价值、条件、情况等两方面差不多，可跟介词"于"结合使用；②作副词时，表示程度高。相当 is an adjective or adverb. ① Acting as an adjective, it indicates that amounts, values, conditions or situations are more or less the same for both sides. It can be used with 于. ② When acting as an adverb, it indicates a high degree.

(1) 这两件衣服价格<u>相当</u>，你自己决定吧。①

(2) 对这里的情况，他<u>相当</u>熟悉。②

(3) 他一个人吃的饭<u>相当</u>于我们两个人。①

☞(4) **京剧已经被提到了和歌剧、芭蕾舞<u>相当</u>的地位。①**

练一练 Practice

(1) 这次考试他们考得都很好，_____。

(2) 约翰和麦克看起来_____。

(3) 这辆汽车非常贵，买这辆车_____。

4 与其……不如……

固定结构，表示比较了两种做法的利害得失后，做出选择，选取后一种，舍去前一种。The fixed structure 与其……不如…… indicates that after comparing the severity of the success or failure of two methods, the choice is made to select the latter and reject the former.

(1) **与其**他去，**不如**我去，我对那儿更了解。

(2) **与其**很长时间反复做一件事，**不如**一次把事情做完。

(3) **与其**今天去，**不如**等天气好了再去。

☞(4) **与其改变京剧里的那些独特部分，不如让人们了解京剧、对京剧产生兴趣。**

练一练 Practice

(1) _____，不如每天好好复习。

(2) 与其慢慢习惯自己不喜欢的工作，_____。

(3) 如果你没有时间逛街，_____。

5 究竟

副词，用于特指疑问句或正反疑问句，表示进一步追究，加强疑问语气，多用于书面语，不能用于带"吗"的是非疑问句。主语如果是疑问代词，"究竟"只能放在主语前。究竟 is an adverb used to refer in particular to in an interrogative or rhetorical question. It is usually used formally. 究竟 cannot be used with 吗 in a rhetorical question. It can only be placed before the subject if the subject is a pronoun.

(1) 他**究竟**想干什么？

(2) 你考试考得**究竟**好不好？

(3) **究竟**谁认识这个人呢？

☞(4) **京剧这种传统艺术究竟应该怎么保护和发展呢？**

练一练 Practice

(1) 他每天很晚才睡觉，_____？

(2) 他们俩跑步_____？

(3) 玛丽，这几本词典_____？

活动 Activities

1. 根据课文问答。 Ask and answer according to the text.

(1) 京剧艺术现在遇到了什么问题？

(2) 有些年轻人是怎么喜欢上京剧的？

(3) 在国外京剧现在是什么地位?

(4) 很多剧院通过什么方式保护京剧艺术的?

(5) 京剧演员们同意专家们的建议吗? 为什么?

2. **结合你对课文的理解,在下面各个句子的基础上,接着每个句子再口头表述一个完整的意思。** Based on your understanding of the text, present orally a complete meaning of each sentence below.

(1) 我是一个京剧演员,……

(2) 我身边有很多朋友不喜欢京剧,他们更喜欢现代艺术。……

(3) 现在中国人越来越重视保护京剧艺术,……

3. **口语活动。** Speaking activities.

1 双人活动。 Pair work.

京剧作为中国的传统艺术离年轻人的生活越来越远,你们国家的传统艺术是不是也遇到了这样的问题? 为什么? 请你和同伴一起讨论一下。 As China's traditional art, Peking Opera is becoming further and further away from the lives of young people. Are the traditional arts in your country facing this kind of problem? Why? Discuss this issue in pairs.

2 小组活动。 Group work.

随着经济的发展和社会的现代化,很多传统艺术在发展中都遇到了难题,喜欢的人越来越少。我们应该怎么保护这些传统艺术呢? 请跟同学们讨论一下,说说你的建议和想法,一起想出一些好办法。然后请一个同学代表小组说说你们小组的建议。 With the development of society and the economy in modern times, the development of many traditional arts encounters difficult problems. They are enjoyed by fewer and fewer people. So how should we protect them? Discuss with your group mates, giving your opinions and suggestions. Try to find some good solutions together. Then choose a representative to present your group's advice to the class.

> **要 求** Requirement
>
> 请尽量用上学到的句子或常用表达式。

常用表达式

1	在……中
2	大部分……,只有很少一部分……
3	受……的影响
4	……被提到……的地位
5	通过……的方式
6	与其……,不如……
7	作为……,……

12

Àixīn　Chuándì

爱心传递

To Pass Love

1. 任务介绍　Introduction

现在很多成功人士开始参与慈善工作，他们在帮助别人的同时，自己也得到了快乐。那么，普通人也可以做慈善吗？在这个单元中，我们会先听到一些普通人做慈善的方式，然后读一个让人感动的爱心故事。Nowadays, many successful people are beginning to take part in charity work. As well as helping others, it also brings them happiness. Then can ordinary people also join charity work? In this unit, we will firstly hear how some ordinary people are taking part in charity work, then will read about one person's touching story of love.

2. 热身活动　Warm-Up

1. 看看图片里的人，说说他们怎么了，我们应该怎样帮助他们？
Have a look at the situations of the people in the pictures. How can we do to help them?

2. 你知道下面这些标志代表什么组织吗？你们国家有哪些像这样的组织？
Do you know which organizations the signs below represent? Which organizations similar to these exist in your country?

第 **1** 课 世界因谁而美丽?
Shìjiè yīn shuí ér měilì?
Who makes the world a beautiful place?

做慈善不一定需要钱。很多人在用自己的方式帮助别人。下面我们就听听这三种不同的慈善方式。You don't necessarily need money to perform charity. Many people use their own methods to help others. Next we will hear three different methods of performing charity.

1 听 Listen 🎧 12-01

听录音，猜一猜下面词语的意思，并将每个词语与相应的翻译连线。Listen to the recording to guess the meaning of the words and match each word with their corresponding translation.

1 慈善 císhàn *adj*	rich
2 富有 fùyǒu *adj*	donate
3 慷慨 kāngkǎi *adj*	heart full of love
4 捐献 juānxiàn *v*	generous
5 爱心 àixīn *n*	deal with
6 处理 chǔlǐ *v*	nine-to-five
7 烦恼 fánnǎo *adj*	upset
8 破旧 pòjiù *adj*	charity
9 需要 xūyào *n*	worn-out
10 增添 zēngtiān *v*	need
11 光彩 guāngcǎi *n*	add
12 朝九晚五 zhāo jiǔ wǎn wǔ	glamour
13 志愿者 zhìyuànzhě *n*	volunteer

> **小贴士 Tip**
>
> 你可以选择再听一遍录音，并试着将带有这些词语的句子或其他关键词记录下来。
> You may listen to the recording once again and try to write down the sentences containing these words or other key words.

2 听和说 Listen and Speak

1. 请听第二遍录音，判断对错。Listen to the recording for the second time, decide if the sentences are true or false. 🎧 12-01

(1) 做慈善需要钱，最好等变得富有了再去做。 (   )

(2) 除了吃饭、买衣服以外，老人把所有的钱都捐出去了。 (   )

(3) 老人很富有，17年里帮助了很多没有钱上学的孩子。 （　　）

(4) 现在，在中国还有一些孩子没有钱上学。 （　　）

(5) 这段话可能是希望人们捐献衣服的广告（guǎnggào, advertisement）。 （　　）

(6) 他们能让旧衣服变得跟新衣服一样有光彩。 （　　）

(7) 大部分人星期一到星期五都是早上九点上班。 （　　）

(8) 除了工作以外，张东周末还去参加志愿者活动。 （　　）

(9) 志愿者们不怕工作辛苦，他们认为只要有回报就可以。 （　　）

(10) 帮助别人可以让世界更美好，也可以让自己变得美好。 （　　）

2. 双人活动。 Pair work.

1 请听第三遍录音，根据表格提示记录你听到的要点。 Listen to the recording for the third time, take notes of the main points according to the hints in the following table. 🎧 12-01

	做慈善的方式 *Methods to perform charity*
方式1	捐钱，帮助没钱上学的孩子……
方式2	
方式3	

② 人们做慈善有很多种方式，请你根据自己的听力记录跟同伴讨论一下，你们刚听到了哪三种做慈善的方式，说说你喜欢哪一种，为什么。People perform charity in many different ways. Use your listening notes to discuss with your partner the three methods you have just heard. Tell each other which you like and why.

要　求 Requirement

请用"通过……，……"，例如：人们可以通过捐钱的方式，帮助没钱上学的孩子。

3. 小组活动。Group work.

如果你想组织一次慈善活动帮助别人，你会组织什么样的活动呢？请你参考听到的三种做慈善的方式，跟同学们讨论一下。然后请一个同学代表本组向全班做口头报告。If you were to organise a charity event to help others, what kind of activity would you prepare? Referring to the three methods you have heard, talk with your group mates. Then choose a representative to present your group's ideas to the class.

要　求 Requirement

请尽量用上学到的句子或常用表达式。

常用表达式

1 等变得富有了才去做　　2 他却是最富有爱心的普通人

3 为怎么处理旧衣服而心烦　　4 送亲戚朋友又送不出手

5 给这些旧衣服增添新的光彩　　6 ……改变世界，让世界更美好……

第2课 爱的奉献

Ài de fèngxiàn

The contribution of love

我们身边每天都发生着很多让人感动的故事，这些故事告诉我们这个世界是多么的美好和善良。下面我们就一起读一个这样的爱心故事。Every day, many moving stories happen around us, telling us that this is a kind and wonderful world. Next, we will read such a story together.

🎧 12-02

跟很多外国人一样，琳达**夫妇**一直想**收养**一个中国孩子，**奉献**自己的一片爱心。1998年**初**，他们与中国的收养中心联系，没过多长时间，**一张可爱**的孩子的照片就寄到了琳达夫妇手里。从那一刻起，这个中国女孩就走进了他们的生活。

孩子的到来使一切都变得美好了。琳达给孩子取了个美国名字，叫凯丽。一谈起养女，琳达就有说不完的话，有讲不完的故事，让人觉得女儿是她生活的全部。①不料刚过完5岁生日的凯丽，突然得了"再生障碍性贫血"。为了给凯丽治病，他们找遍了美国各地有名的医生，琳达也从一个律师几乎变成了一个医生，②整天翻看**有关医学**的书。可是凯丽的病却越来越严重了。凯丽是个**懂事**的孩子，怕妈妈**难过**，还常常给妈妈唱歌。

医生告诉他们，只有**移植骨髓**才可能治好小凯丽，但是找到合适的骨髓比**登**天还难。为了找到合适的骨髓，2003年琳达**不惜**③一切**代价**，两次到中国，**寻找**合适的骨髓捐献者，**包括**小凯丽的**亲生**父母，但却④<u>始终</u>没有找到。琳达夫妇和凯丽中国故乡的人们，一直没有停下寻找合适骨髓的努力。⑤<u>在</u>所有人的努力<u>下</u>，三年后终于找到了合适的志愿者。

三年来中国收养中心一直在关心着小凯丽，因为很多像小凯丽这样

116

被外国家庭收养的孩子都是从这里走出国门的，孩子在外国生活成长的情况一直**牵动**着他们的心。现在这个牵动人心的故事终于有了一个完美的**结局**。虽然小凯丽**不幸**得了非常严重的病，但她却是幸福的，因为世界上有这么多**善良**的人们在帮助她。

Gēn hěn duō wàiguórén yíyàng, Líndá **fūfù** yìzhí xiǎng **shōuyǎng** yí ge Zhōngguó háizi, **fèngxiàn** zìjǐ de yí piàn àixīn. Yījiǔjiǔbā nián **chū**, tāmen yǔ Zhōngguó de shōuyǎng zhōngxīn liánxì, méi guò duō cháng shíjiān, yì zhāng **kě'ài** de háizi de zhàopiàn jiù jìdào le Líndá fūfù shǒu lǐ. Cóng nà yí kè qǐ, zhège Zhōngguó nǚhái jiù zǒujìn le tāmen de shēnghuó.

Háizi de dàolái shǐ yíqiè dōu biàn de měihǎo le. Líndá gěi háizi qǔ le ge Měiguó míngzi, jiào Kǎilì. Yì tánqǐ yǎngnǚ, Líndá jiù yǒu shuō bu wán de huà, yǒu jiǎng bu wán de gùshi, ràngrén juéde nǚ'ér shì tā shēnghuó de quánbù. ① Búliào gāng guò wán wǔ suì shēngrì de Kǎilì, tūrán dé le "Zàishēng Zhàng'àixìng Pínxuè". Wèile gěi Kǎilì zhìbìng, tāmen zhǎo biàn le Měiguó gè dì yǒumíng de yīshēng, Líndá yě cóng yí ge lǜshī jīhū biànchéng le yí ge yīshēng, ② zhěngtiān fānkàn **yǒuguān yīxué** de shū. Kěshì Kǎilì de bìng què yuè lái yuè yánzhòng le. Kǎilì shì ge **dǒngshì** de háizi, pà māma **nánguò**, hái chángcháng gěi māma chànggē.

Yīshēng gàosu tāmen zhǐyǒu **yízhí gǔsuǐ**, cái kěnéng zhìhǎo xiǎo Kǎilì, dànshì zhǎodào héshì de gǔsuǐ bǐ **dēng**tiān hái nán. Wèile zhǎodào héshì de gǔsuǐ, èrlínglíngsān nián Líndá **bùxī** ③ **yíqiè dàijià**, liǎng cì dào Zhōngguó, **xúnzhǎo** héshì de gǔsuǐ juānxiàn zhě, **bāokuò** xiǎo Kǎilì de **qīnshēng** fùmǔ, dàn què ④ shǐzhōng méiyǒu zhǎodào. Líndá fūfù hé Kǎilì Zhōngguó gùxiāng de rénmen, yìzhí méiyǒu tíngxià xúnzhǎo héshì gǔsuǐ de nǔlì. ⑤ Zài suǒyǒu rén de nǔlì xià, sān nián hòu zhōngyú zhǎodào le héshì de zhìyuànzhě.

Sān nián lái Zhōngguó shōuyǎng zhōngxīn yìzhí zài guānxīn zhe xiǎo Kǎilì, yīnwèi hěn duō xiàng xiǎo Kǎilì zhèyàng bèi wàiguó jiātíng shōuyǎng de háizi dōu shì cóng zhèlǐ zǒuchū guómén de, háizimen zài wàiguó shēnghuó chéngzhǎng de qíngkuàng yìzhí **qiāndòng** zhe tāmen de xīn. Xiànzài zhège qiāndòng rénxīn de gùshi zhōngyú yǒu le yí ge wánměi de **jiéjú**. Suīrán xiǎo Kǎilì **búxìng** dé le fēicháng yánzhòng de bìng, dàn tā què shì xìngfú de, yīnwèi shìjiè shang yǒu zhème duō **shànliáng** de rénmen zài bāngzhù tā.

词语 Vocabulary 🎧 12-03

1	夫妇	fūfù	n	husband and wife	9	难过	nánguò	adj	feel sad
2	收养	shōuyǎng	v	adopt	10	移植	yízhí	v	transplant
3	奉献	fèngxiàn	v	contribute	11	骨髓	gǔsuǐ	n	bone marrow
4	初	chū	n	beginning	12	登	dēng	v	climb
5	可爱	kě'ài	adj	lovable	13	不惜	bùxī	v	not spare
6	有关	yǒuguān	v	related	14	代价	dàijià	n	cost
7	医学	yīxué	n	medical science	15	寻找	xúnzhǎo	v	search for
8	懂事	dǒngshì	adj	sensible	16	包括	bāokuò	v	include

17	亲生	qīnshēng	adj	blood related
18	牵动	qiāndòng	v	affect
19	结局	jiéjú	n	result
20	不幸	búxìng	adj	unlucky
21	善良	shànliáng	adj	kind

专有名词 Proper Nouns

1	琳达	Líndá	Linda
2	凯丽	Kǎilì	Kelly
3	再生障碍性贫血	Zàishēng Zhàng'àixìng Pínxuè	aplastic anemia

词语 Vocabulary

① 不料

表示没想到。后面常有表示转折的副词"却"等。不料 means *unexpectedly*. It is usually followed by an adverb indicating a turn in the course of events, such as 却.

(1) 我以为买电脑的钱够了，<u>不料</u>还差五百块呢。

(2) 他们打算今天爬山，<u>不料</u>下雨了，只好待在家里。

(3) 小明每天来得很早，<u>不料</u>考试的时候却迟到了。

☞(4) **<u>不料</u>刚过完5岁生日的凯丽，突然得了"再生障碍性贫血"。**

练一练 Practice

(1) 我以为他不想去，_____。

(2) 他去宿舍找马克一起踢球，_____。

(3) 王芳7点就出发了，_____，所以迟到了。

② 整

形容词，表示"完整的，全部的"意思。"整＋量词（＋名词）"表示全部的，没有剩余的或其他的情况。整 is an adjective which indicates complete and all-inclusive. "整 + measure word (+ noun)" means *all, with no thing or situation left over*.

(1) 他<u>整</u>篇课文都不会读。

(2) <u>整</u>个学校的人都认识她。

(3) 快考试了，很多同学<u>整</u>个晚上都在图书馆学习。

☞(4)（琳达）<u>整</u>天翻看有关的医学的书。

比较 整天/一整天

"整天"表示"总是、常常"。"一整天"表示"从早到晚的时间"，常跟"都"一起用。整天 means *always* or *often*. 一整天 means *from early to late*, which is often used together with 都.

a. 他总是在图书馆学习。→ 他整天在图书馆学习。

b. 他昨天从早到晚，都在图书馆学习。→ 他昨天一整天都在图书馆学习。

练一练 Practice

(1) 他昨天喝了很多啤酒，所以上课的时候，＿＿＿＿＿＿＿＿＿＿。

(2) 玛丽的妈妈生病住院了，＿＿＿＿＿＿＿＿＿＿。

(3) 我给他打电话，可是＿＿＿＿＿＿＿＿＿＿。

③ 一切

指示代词，表示全部、各种，常跟"都"一起用。①修饰名词时，一般不加"的"；②还可以表示一切事物，能用其他词语修饰。一切 is a demonstrative pronoun meaning *all*, or *every kind*, and is usually used together with 都. ① When modifying a noun, 的 is not usually added. ② It can also mean *everything*, and can be modified by other words.

(1) 朋友把<u>一切</u>东西都准备好了。①

(2) 房间里的<u>一切</u>，都能让我想起她。②

(3) 只要你下决心去做，<u>一切</u>困难都不是困难。①

☞(4) **2003年琳达不惜<u>一切</u>代价，……寻找合适的骨髓捐献者。①**

比较 一切/所有

(1) "所有"是形容词，也可以做名词和动词；"一切"是代词。"一切"可以单独作主语、宾语；"所有"不能。所有 is an adjective and can also act as a noun or verb, while 一切 is a pronoun. 一切 can act as a subject or object by itself, while 所有 can not.

  a. 发生的<u>一切</u>都过去了。√

  b. 发生的<u>所有</u>都过去了。×

(2) 两者都可以修饰名词，"一切"不能加"的"；"所有"可加、也可不加。Both can modify nouns. 的 can not be added to 一切, but may or may not be added to 所有.

  a. <u>所有</u>（的）东西都准备好了。√

  b. <u>一切</u>的东西都准备好了。×

练一练 Practice

(1) 爱一个人就应该＿＿＿＿＿＿＿＿＿＿。

(2) 看到这么美丽的风景，＿＿＿＿＿＿＿＿＿＿。

(3) 遇到一切困难，＿＿＿＿＿＿＿＿＿＿。

4 始终

副词，表示行为或状态从开始到结束持续不变，可以用"一直"替换。始终 is an adverb which indicates that a behaviour or state continues from start to finish without change. It is interchangeable with 一直.

(1) 我**始终**不明白那句话的意思。

(2) 他**始终**没有告诉我他喜欢谁。

(3) 那个人**始终**站在门口，好像在等一个人。

☞(4)（合适的骨髓捐献者）**始终**没有找到。

练一练 Practice

(1) 他一直在找马丁的电话号码，_____。

(2) 安妮去哪儿旅行？_____。

(3) 那个汉字太难了，_____。

5 在……下

固定结构，①表示在某个地方；②也可以引申表示条件，后边说在这个条件下产生的结果。在……下 is a fixed structure. ① It indicates in some place. ② It has a second meaning of a condition, and is followed by the results produced by the condition.

(1) 你知道吗？我**在**楼**下**等了你一晚上。①

(2) **在**朋友的帮助**下**，他写完了作业。②

(3) **在**父母的影响**下**，他也去中国学习汉语了。②

☞(4) **在所有人的努力下**，三年后终于找到了合适的志愿者。②

练一练 Practice

(1) _____，他的病很快就好了。

(2) _____，她的朋友也成了一名志愿者。

(3) _____，今年终于考上了大学。

活动 Activities

1. 根据课文问答。 Ask and answer according to the text.

(1) 跟很多外国家庭一样，琳达夫妇想做什么？

(2) 收养了中国孩子之后，他们家的生活过得怎么样？

(3) 在美国，为了给孩子治病，琳达做了哪些事情？

(4) 怎么才能治好小凯丽的病？

(5) 为什么中国收养中心一直很关心凯丽？

2. **结合你对课文的理解，在下面各个句子的基础上，接着每个句子再口头表述一个完整的意思。** Based on your understanding of the text, present orally a complete meaning of each sentence below.

(1) 五年前，玛丽跟丈夫收养了一个中国孩子。……

(2) 真是太不幸了！以前的一个同学得了"再生障碍性贫血"，……

(3) 听说他家里出大事了，最近他心情一直不好，……

3. **口语活动。** Speaking activities.

① **双人活动。** Pair work.

现在有很多像琳达夫妇这样的外国人收养别国的孩子，这给他们的生活带来很多快乐，但是他们也遇到了一些问题。请跟你的同伴说说收养外国孩子有什么好处和麻烦。Nowadays, many foreign couples, such as the one in the text, are adopting foreign children. This brings great happiness into their lives. But they also encounter some problems. Discuss with your partner the benefits and problems of adopting a foreign child.

② **小组活动。** Group work.

在生活中有很多治病救人的感人故事，你听说过吗？请给你的同学讲讲你听过或者看过的故事，然后你们一起试着把三个人的故事改编成一个故事，请一个同学代表小组讲故事。In life, there are many moving stories of rescue, have you heard any? Share some stories that you have seen or heard with your group. Then try to convert the three stories into one. Choose a representative to tell the story to the class.

> **要 求** Requirement
> ....
> 请尽量用上学到的句子或常用表达式。

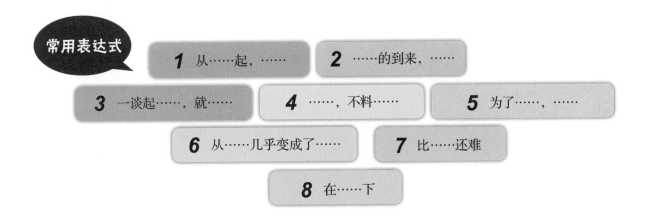

常用表达式

1 从……起，……
2 ……的到来，……
3 一谈起……，就……
4 ……，不料……
5 为了……，……
6 从……几乎变成了……
7 比……还难
8 在……下

121

词语表 Glossary

第1单元

第1课

愉快	yúkuài	*adj*	happy		理解	lǐjiě	*v*	understand
吵架	chǎojià	*v*	quarrel		专业	zhuānyè	*n*	specialty
代沟	dàigōu	*n*	generation gap		内向	nèixiàng	*adj*	introverted
讲卫生	jiǎng wèishēng		pay attention to hygiene		适合	shìhé	*v*	suit
					发生	fāshēng	*v*	happen

请把你学到的其他词语写在下面：

_____ _____

第2课

花	huā	*v*	spend		条	tiáo	*mw*	*used for long and thin things*
治	zhì	*v*	cure		项链	xiàngliàn	*n*	necklace
吃惊	chījīng	*adj*	surprised		赶紧	gǎnjǐn	*adv*	with haste
攒	zǎn	*v*	save		及时	jíshí	*adj/adv*	without delay
私房钱	sīfángqián	*n*	private savings		女婿	nǚxu	*n*	son-in-law
爱情	àiqíng	*n*	love		感动	gǎndòng	*v*	be moved
储蓄	chǔxù	*n/v*	savings; save		拿手	náshǒu	*adj*	being one's specialty
解释	jiěshì	*v*	explain		回报	huíbào	*v*	return
清单	qīngdān	*n*	list					
纪念日	jìniànrì	*n*	memorial day					
老公	lǎogōng	*n*	husband					

请把你学到的其他词语写在下面：

_____ _____

第2单元

第1课

稳定	wěndìng	*adj*	stable	儿子	érzi	*n*	son
尊敬	zūnjìng	*v*	respect	新闻	xīnwén	*n*	news
收入	shōurù	*n*	income	创业	chuàngyè	*v*	start a business
失业	shīyè	*v*	be unemployed	大学	dàxué	*n*	university
吃香	chīxiāng	*adj*	popular				

请把你学到的其他词语写在下面：

_____   _____   _____   _____

第2课

理想	lǐxiǎng	*n*	ideal	作家	zuòjiā	*n*	writer
擅长	shàncháng	*v*	be good at	成为	chéngwéi	*v*	become
根据	gēnjù	*prep*	based on	改行	gǎiháng	*v*	change profession
疲倦	píjuàn	*adj*	fatigue	运动员	yùndòngyuán	*n*	sportsman
放弃	fàngqì	*v*	give up	年龄	niánlíng	*n*	age
例子	lìzi	*n*	example	画家	huàjiā	*n*	painter
实验室	shíyànshì	*n*	lab	画	huà	*v*	paint, draw
发现	fāxiàn	*v*	find out	画儿	huàr	*n*	picture

取其所长、避其所短
qǔ qí suǒ cháng, bì qí suǒ duǎn
take the advantages, and avoid the disadvantages

当……时	dāngshí		when
短文	duǎnwén	*n*	article
才能	cáinéng	*n*	talent

请把你学到的其他词语写在下面：

_____   _____   _____   _____

第3单元

第1课

心理	xīnlǐ	*n*	psychology
处于	chǔyú	*v*	be in
亚健康	yà jiànkāng	*adj*	sub-healthy
状态	zhuàngtài	*n*	state
吃力	chīlì	*adj*	difficult
失眠	shīmián	*v*	insomnia
心病	xīnbìng	*n*	heart disease
颈椎病	jǐngzhuībìng	*n*	cervical spondylosis
命	mìng	*n*	life

请把你学到的其他词语写在下面：

_____ _____ _____ _____

第2课

老	lǎo	*adj*	old
年轻	niánqīng	*adj*	young
解压	jiěyā	*v*	deal with pressure
方式	fāngshì	*n*	method
例外	lìwài	*v/n*	be an exception; exception
急性子	jíxìngzi	*adj/n*	impatient; inpatient person
反复	fǎnfù	*adv*	repeatedly
演员	yǎnyuán	*n*	actor
评论	pínglùn	*n/v*	comment; comment on
难受	nánshòu	*adj*	uncomfortable
完美	wánměi	*adj*	perfect
疯狂	fēngkuáng	*adj*	crazy
零食	língshí	*n*	snack
浪费	làngfèi	*v*	waste
卡拉OK	kǎlā OK		karaoke
吐苦水	tǔ kǔshuǐ		air one's grievances
秒	miǎo	*n*	second
时光	shíguāng	*n*	time

请把你学到的其他词语写在下面：

_____ _____ _____ _____

第4单元

第1课

自助游	zìzhù yóu		independent travel		操心	cāoxīn	*v*	worry
情况	qíngkuàng	*n*	situation		眼看	yǎnkàn	*adv*	soon
自由	zìyóu	*adj*	free		泡汤	pàotāng	*v*	fall through, fail
跟团游	gēntuán yóu		travel with a tour group		自由行	zìyóu xíng		free travel with arranged hotels and transportation
照顾	zhàogù	*v*	take care of					

请把你学到的其他词语写在下面：

_____   _____   _____   _____

第2课

解决	jiějué	*v*	solve		风俗	fēngsú	*n*	custom
南方	nánfāng	*n*	south		方言	fāngyán	*n*	dialect
城市	chéngshì	*n*	city		交流	jiāoliú	*v*	communicate
安静	ānjìng	*adj*	quiet		普通话	pǔtōnghuà	*n*	standard Chinese
独特	dútè	*adj*	unique		外语	wàiyǔ	*n*	foreign language
魅力	mèilì	*n*	charm		民族	mínzú	*n*	ethnic group
收获	shōuhuò	*n/v*	gain; harvest		服装	fúzhuāng	*n*	clothing
欣赏	xīnshǎng	*v*	appreciate		戴	dài	*v*	wear
自然	zìrán	*n/adj/adv*	nature; natual; naturally		饰品	shìpǐn	*n*	accessory
当地	dāngdì	*n*	local		热情	rèqíng	*adj*	warm-hearted

请把你学到的其他词语写在下面：

_____   _____   _____   _____

第5单元

第1课

挑选	tiāoxuǎn	*v*	choose		讨价还价	tǎojià huánjià		bargain
运费	yùnfèi	*n*	deliveringcosts		轻松	qīngsōng	*adj*	relaxed
逛街	guàngjiē	*v*	go shopping		电脑	diànnǎo	*n*	computer
满意	mǎnyì	*adj*	satisfied		退货	tuìhuò	*v*	return (goods)
卖家	màijiā	*n*	seller		不了了之	bù liǎo liǎo zhī		end inconclusively

请把你学到的其他词语写在下面:

_____   _____   _____   _____

第2课

选	xuǎn	*v*	choose		冲动	chōngdòng	*adj*	impulsive
答案	dá'àn	*n*	answer		讨厌	tǎoyàn	*v*	hate
犹豫	yóuyù	*adj*	hesitating		必要	bìyào	*adj*	necessary
感性	gǎnxìng	*adj*	sensible		后悔	hòuhuǐ	*v*	regret
商品	shāngpǐn	*n*	goods		出手	chūshǒu	*v*	buy
行动	xíngdòng	*n*	action		理性	lǐxìng	*adj*	rational
执著	zhízhuó	*adj*	persistent		基本	jīběn	*adv/n/adj*	basically; basic; basic
痴迷	chīmí	*v*	obsessed					
守	shǒu	*v*	keep watching		贪图	tāntú	*v*	hanker after
受骗	shòupiàn	*v*	be cheated		草率	cǎoshuài	*adj*	hastily
运气	yùnqi	*n*	luck					

请把你学到的其他词语写在下面:

_____   _____   _____   _____

第6单元

第1课

花销	huāxiao	n	spending
比例	bǐlì	n	proportion
生怕	shēngpà	v	fear
飞	fēi	v	fly
市场	shìchǎng	n	market
积蓄	jīxù	n	savings

刻	kè	n	moment
培训	péixùn	v	train
外贸	wàimào	n	foreign trade
淘汰	táotài	v	make obsolete
值得	zhídé	v	be worth it

请把你学到的其他词语写在下面：

_____ _____ _____ _____

第2课

贷款	dàikuǎn	n/v	loan
消费	xiāofèi	v	consume
存款	cúnkuǎn	n/v	bank savings; deposit
故事	gùshi	n	story
观念	guānniàn	n	view
老太太	lǎotàitai	n	old woman
一生	yìshēng	n	lifetime
辛苦	xīnkǔ	adj/v	painstaking; ask sb to do sth
无法	wúfǎ	v	be unable

享受	xiǎngshòu	v	enjoy
续集	xùjí	n	sequel
旧	jiù	adj	old
完整	wánzhěng	adj	complete
连续性	liánxùxìng	n	continuity
管	guǎn	v	care
种	zhòng	v	plant
乘凉	chéngliáng	v	enjoy the shade
传统	chuántǒng	adj	traditional
子孙	zǐsūn	n	descendants
财富	cáifù	n	wealth

请把你学到的其他词语写在下面：

_____ _____ _____ _____

第7单元

第1课

剧烈	jùliè	*adj*	fierce		模仿	mófǎng	*v*	mimic
动作	dòngzuò	*n*	action		崇拜	chóngbài	*v*	admire
柔和	róuhé	*adj*	soft		明星	míngxīng	*n*	pop star
缓慢	huǎnmàn	*adj*	slow		脚	jiǎo	*n*	foot
其中	qízhōng	*n*	of which		成功	chénggōng	*v*	succeed
厉害	lìhai	*adj*	radical					

请把你学到的其他词语写在下面：

_____   _____   _____

第2课

T恤	T xù	*n*	T shirt		徒弟	túdi	*n*	apprentice
高耸	gāosǒng	*v*	stand out		比画	bǐhua	*v*	gesture
鼻梁	bíliáng	*n*	bridge of the nose		正宗	zhèngzōng	*adj*	authentic
行头	xíngtou	*n*	outfit		套路	tàolù	*n*	routine
暴露	bàolù	*v*	reveal		介意	jièyì	*v*	mind
身份	shēnfen	*n*	identity		困难	kùnnan	*n/adj*	difficulty; difficult
无意	wúyì	*adv*	unintentionally		示范	shìfàn	*v*	demonstrate
表达	biǎodá	*v*	express		关于	guānyú	*prep*	about
拜师	bàishī	*v*	take as master		高手	gāoshǒu	*n*	master
当即	dāngjí	*adv*	at once		深奥	shēn'ào	*adj*	profound

请把你学到的其他词语写在下面：

_____   _____   _____

第8单元

第1课

埋怨	mányuàn	v	complain about	闹笑话	nào xiàohua		be the butt of jokes
非要	fēiyào	adv	insist on	周边	zhōubiān	n	surrounding
流行	liúxíng	adj/v	popular	轮	lún	mw	round
文身	wénshēn	n/v	tattoo	社会	shèhuì	n	community
文	wén	v	tattoo	春联	chūnlián	n	New Year couplets
含义	hányì	n	meaning				

请把你学到的其他词语写在下面：

_____ _____ _____ _____

第2课

雪	xuě	n	snow	读音	dúyīn	n	pronunciation
显眼	xiǎnyǎn	adj	conspicuous	音乐	yīnyuè	n	music
奇怪	qíguài	adj	strange	形状	xíngzhuàng	n	shape
符号	fúhào	n	symbol	线条	xiàntiáo	n	line
报纸	bàozhǐ	n	newspaper	表示	biǎoshì	v	indicate
周	zhōu	n	week	部分	bùfen	n	part
字谜	zìmí	n	puzzle	构成	gòuchéng	v	constitute
古老	gǔlǎo	adj	ancient	树根	shùgēn	n	root
文字	wénzì	n	writing	树梢	shùshāo	n	treetop
距离	jùlí	n/v	distance; be at a distance from	意义	yìyì	n	meaning

请把你学到的其他词语写在下面：

_____ _____ _____ _____

第9单元

第1课

程序	chéngxù	*n*	procedure
复杂	fùzá	*adj*	complicated
烹饪	pēngrèn	*v*	cook
各式各样	gè shì gè yàng		various kinds of
菜系	càixì	*n*	cuisine
之间	zhījiān		between
食物	shíwù	*n*	food
夹	jiā	*v*	clamp
分量	fènliàng	*n*	weight
分享	fēnxiǎng	*v*	share
顿	dùn	*mw*	*used to indicate frequency of food, etc*

请把你学到的其他词语写在下面：

_____ _____ _____ _____

第2课

探亲	tànqīn	*v*	visit relatives
期间	qījiān	*n*	period
快餐	kuàicān	*n*	fast food
印象	yìnxiàng	*n*	impression
深	shēn	*adj*	deep
味道	wèidao	*n*	taste
变	biàn	*v*	change
迎合	yínghé	*v*	cater to
地道	dìdào	*adj*	authentic
任务	rènwu	*n*	task
落	luò	*v*	fall
摆	bǎi	*v*	place
凑合	còuhe	*v*	make do
别扭	bièniu	*adj*	awkward
熟练	shúliàn	*adj*	proficient
刀叉	dāochā	*n*	knife and fork
津津有味	jīnjīn yǒuwèi	*adj*	with relish
花样	huāyàng	*n*	pattern
粥	zhōu	*n*	congee
两口儿	liǎngkǒur	*n*	married couple
结合	jiéhé	*v*	combine

请把你学到的其他词语写在下面：

_____ _____ _____

第10单元

第1课

规定	guīdìng	*n*	regulation		同龄	tónglíng	*v*	of the same age
符合	fúhé	*v*	conform to		孤单	gūdān	*adj*	alone
所有	suǒyǒu	*adj*	all		性格	xìnggé	*n*	personality
照顾	zhàogù	*v*	take care of		活泼	huópo	*adj*	active
兄弟	xiōngdì	*n*	brother		成本	chéngběn	*n*	cost
乐趣	lèqù	*n*	pleasure					

请把你学到的其他词语写在下面：

_____ _____ _____

第2课

年代	niándài	*n*	era		按	àn	*prep*	according to
代	dài	*n*	generation		消失	xiāoshī	*v*	vanish
模式	móshì	*n*	model		动画片	dònghuàpiàn	*n*	cartoon
主流	zhǔliú	*n*	mainstream		阻止	zǔzhǐ	*v*	prevent
教育	jiàoyù	*n/v*	education; educate		蹲	dūn	*v*	squat
成长	chéngzhǎng	*v*	grow		喂	wèi	*v*	feed
隔代	gédài		inter-generational		碳酸饮料	tànsuān yǐnliào	*n*	carbonated drink
矛盾	máodùn	*n*	contradiction		沟通	gōutōng	*v*	communicate
苦恼	kǔnǎo	*adj*	worried		情绪	qíngxù	*n*	mood
养成	yǎngchéng	*v*	develop		道理	dàolǐ	*n*	reason
					想法	xiǎngfǎ	*n*	idea

请把你学到的其他词语写在下面：

_____ _____ _____

第11单元

第1课

歌剧	gējù	n	opera		武打	wǔdǎ	v	kung fu fighting
注重	zhùzhòng	v	attach importance to		艺术	yìshù	n	art
角色	juésè	n	role		相通	xiāngtōng	v	be interlink
演唱	yǎnchàng	v	sing (in a performance)		接受	jiēshòu	v	accept
表演	biǎoyǎn	v	perform		神秘	shénmì	adj	mysterious
脸谱	liǎnpǔ	n	facial makeup in traditional Chinese opera		事实	shìshí	n	fact
					枯燥	kūzào	adj	boring

请把你学到的其他词语写在下面：

_____ _____

第2课

镜子	jìngzi	n	mirror		地位	dìwèi	n	status
化妆	huàzhuāng	v	make up		政府	zhèngfǔ	n	government
结束	jiéshù	v	finish		保护	bǎohù	v	protect
幕布	mùbù	n	curtain		剧院	jùyuàn	n	theatre
现实	xiànshí	n	reality		时代	shídài	n	time
失去	shīqù	v	lose		发展	fāzhǎn	v	develop
观众	guānzhòng	n	audience		创新	chuàngxīn	n/v	innovation; innovate
现代	xiàndài	n	modern		生命力	shēngmìnglì	n	vitality
冷遇	lěngyù	n	cold shoulder		存在	cúnzài	v	exist
推崇	tuīchóng	v	hold in esteem		代表	dàibiǎo	n	representative
提到	tídào	v	improve		尊重	zūnzhòng	v	respect

请把你学到的其他词语写在下面：

_____ _____

第12单元

第1课

慈善	císhàn	adj	charity		破旧	pòjiù	adj	worn-out
富有	fùyǒu	adj	rich		需要	xūyào	n	need
慷慨	kāngkǎi	adj	generous		增添	zēngtiān	v	add
捐献	juānxiàn	v	donate		光彩	guāngcǎi	n	glamour
爱心	àixīn	n	heart full of love		朝九晚五	zhāojiǔ wǎnwǔ		nine-to-five
处理	chǔlǐ	v	deal with		志愿者	zhìyuànzhě	n	volunteer
烦恼	fánnǎo	adj	upset					

请把你学到的其他词语写在下面:

_____ _____ _____ _____

第2课

夫妇	fūfù	n	husband and wife		登	dēng	v	climb
收养	shōuyǎng	v	adopt		不惜	bùxī	v	not worry about
奉献	fèngxiàn	v	contribute		代价	dàijià	n	cost
初	chū	n	beginning		寻找	xúnzhǎo	v	search for
可爱	kěài	adj	lovable		包括	bāokuò	v	include
有关	yǒuguān	v	related		亲生	qīnshēng	adj	blood related
医学	yīxué	n	medical science		牵动	qiāndòng	v	attract
懂事	dǒngshì	adj	sensible		结局	jiéjú	n	result
难过	nánguò	adj	feel sad		不幸	búxìng	adj	unluckily
移植	yízhí	v	transplant		善良	shànliáng	adj	kind
骨髓	gǔsuǐ	n	bone marrow					

把你学到的下在下面:

_____ _____ _____ _____

听力文本及答案
Transcripts and Answers

第1单元 人际关系 🎧1-01

（一）家庭关系

　　小天已经上中学两年了，刚上中学的时候他坚持住在学校的宿舍里，一个星期回一次家。可是不到半年的时间，他就开始常常不回家，有时候半个月才回一次，有时候几个星期也不回家。原来，因为爸爸不理解他，他常跟爸爸吵架，他觉得跟爸爸的代沟太大了，但他不希望跟爸爸一见面就吵架。（130字）

（二）同屋关系

　　李小明有五个同屋，他们都来自不同的地方。刚认识的时候，大家一起吃饭、一起锻炼，关系很好。可是他们有的人喜欢晚睡觉，常常很晚还开着灯看书；有的人不怎么讲卫生，把脏衣服放在房间里的桌子上、床上。因为生活习惯不一样，发生了很多不愉快的事情，慢慢地他们的关系就没有以前那么好了。（135字）

（三）同事关系

　　我最近找到一个适合自己专业的工作，希望能在这个公司好好儿干。跟我一起进公司的还有一个女孩，那个女孩特别会说话。可是我比较内向，平时很少说话，不知道怎么跟人交朋友。教我们的师傅有什么工作都愿意交给她做，而我就只能看着，现在我该怎么办啊？（117字）

答案

(1) ×　　(2) ×　　(3) √　　(4) ×　　(5) √　　(6) √　　(7) √　　(8) ×　　(9) √　　(10) ×

第2单元 理想职业 🎧2-01

（一）教师职业特点

　　我工作5年了，是中学的英语老师。以前我不想当老师，可我妈妈觉得女孩子当老师比较稳定，最后还是听了爸爸妈妈的。现在我常常不快乐。虽然老师很受人尊敬，工作也比较稳定，每年有寒假和暑假，可是收入不多，工作没有多大改变，一点儿意思也没有。（115字）

（二）医生职业特点

王先生的儿子今年考上了北京大学英语专业，王先生虽然很高兴，可是他更希望自己的儿子学医。医生是不会失业的，因为人不会不生病，而且当医生的时间越长就越吃香。可是儿子觉得当医生太累了，不想当医生。（95字）

（三）自己创业的特点

我叫张东，是今年七月大学毕业的。现在大学生找工作难已经不是什么新闻了。毕业以后，我开始自己创业。我觉得创业也是一种职业，虽然没有当老师和医生稳定，可是给别人工作不如为自己工作。而且自己的时间会很多，可以做更多自己想做的事。（111字）

答案

(1) ×   (2) ×   (3) √   (4) ×   (5) √   (6) √   (7) ×   (8) √   (9) √   (10) ×

第3单元 身心健康

热身活动 🎧3-01

1. A：我实在跑不动了，停下来休息一下吧。
   B：别啊！你都多长时间没锻炼了！加油！
2. 哈哈，今天太高兴了。来，再来一杯啤酒。我们大家要把酒喝完。
3. 太晚了，你是不是又准备熬夜啊？快，别写了，明天有的是时间。
4. 困死了，昨天晚上的足球比赛太好看了，看完以后怎么也睡不着了，我现在得好好休息了。
5. 你怎么又抽烟（smoke）啊！难道你今天嗓子不疼了？太难闻了，快把烟扔了，把窗户打开。
6. A：啊……，大夫，您轻点，太疼了。
   B：很快就好了，这样对颈椎病最有帮助。（218字）

答案

(1) C   (2) A   (3) B   (4) E   (5) D   (6) F

3-02

（一）亚健康表现之学习压力

作为老师，我希望我的学生生活幸福，学习好。但是考试带给他们的心理压力太大了，他们每天早上5点多起床，晚上12点多睡觉，在这20多个小时里，除了学习就是学习。还有半年就要考大学了，他们的压力也越来越大。因为心情不好，请假的人越来越多，很多学生心理处于亚健康状态。（128字）

（二）亚健康表现之工作压力

黄小姐工作一直非常努力，可是现在她觉得工作越来越吃力了，晚上常常失眠。有时候睡着睡着，不知怎么就想到工作上去了，然后再也睡不着了。她最近常常吃药，很有用，可一不吃药又睡不着了。最后黄小姐去看医生，医生说她处于亚健康状态，她是"心病"。（117字）

（三）亚健康表现之身体健康

因为总是坐着工作，28岁的马先生常常头疼。最近他到医院看病，医生说他得的是颈椎病。现在颈椎病成了一些用电脑工作的年轻人的职业病，很多年轻人都处于亚健康状态。所以有人说现在的人是"年轻时拿命换钱，年老时拿钱换命。"（105字）

答案

(1) ×　(2) √　(3) ×　(4) ×　(5) ×　(6) ×　(7) √　(8) ×　(9) √　(10) √

第4单元 愉快旅行 🎧4-01

（一）自助游特点

王明是2002年开始爱上自助游的。那年他和女朋友打算去海南，他的一位朋友建议他们自助游。虽然他们从来没有用这种方式旅行过，可还是想尝试一下这种新方式。那次旅行给他们留下了美好的回忆。虽然比较麻烦，什么事都得自己安排，比如买票、订酒店什么的，但是想怎么玩就怎么玩，非常自由。（133字）

（二）跟团游特点

张先生您好，听了您的情况和旅行要求，我认为跟团游最适合你们一家五口人。因为云南离北京比较远，如果跟团游的话，更方便您照顾老人和孩子。跟团旅行最大的好处就是省钱、省心，旅行中什么事情都不用自己操心，而且还比自助旅游省不少钱，因为买机票和门票、住宾馆、吃饭等等都会打折。（133字）

（三）自由行特点

马上就要放假了，李小姐想自助游去英国。但是放假前工作很忙，没时间买机票、订酒店。眼看旅行就要泡汤了，朋友给她介绍了一种新的旅行方式——自由行，既能让她自由地旅行，又不用操心旅行中的麻烦事。"自由行"中，除了交通、酒店和旅行时间被确定以外，别的都跟自助游一样。而且"自由行"在酒店和机票上也都比自助游便宜不少。（152字）

答案

(1) ×　(2) ×　(3) √　(4) ×　(5) √　(6) √　(7) √　(8) ×　(9) √　(10) √

第5单元 网络购物 🎧5-01

（一）

我比较喜欢网购，因为我现在住在一个很小的城市里，这里只有一家大商场，衣服不但价钱贵，而且没有什么可以挑选的，所以我常常从网上买。买东西，再加上运费，比在商场里买便宜得多，还能买到不少当地没有的东西，我觉得挺不错的。（107字）

（二）

我结婚以后，没有时间逛街，常常在网上购物，买回来的东西没什么不满意的。有时候我买一样东西要看好几天呢，同时和好几个卖家聊，还能讨价还价，比逛街轻松不了多少。谁让咱们出不去呢，只要你多看看，真能买到好东西，还能省不少钱呢！（110字）

（三）

我在网上买过衣服，鞋子，小吃等。买回来的衣服，跟电脑上的照片和介绍差远了。跟卖家联系，她会说："你可以退货，可是运费要你自己出"，但退货的运费都可以买件衣服了，只能不了了之了，所以最好不要网购。（97字）

答案

(1) ×　 (2) ×　 (3) √　 (4) √　 (5) ×　 (6) ×　 (7) √　 (8) ×　 (9) ×　 (10) √

第6单元 合理消费 🎧6-01

（一）消费方式：买衣服

小胡是北京大学英语系的学生，她每月除了吃饭、交手机费等等，大的花销还是买衣服，每月基本得三四百元。只要看上了就想买，有时候为了买件喜欢的衣服，宁可吃饭省点钱，也要买。衣服便宜的有几十块钱，贵的有一二百元。吃饭跟买衣服花销的比例基本是1：3，她身边的一些朋友差不多跟她一样，有些衣服穿不了几天就后悔了。其实，她也知道老花爸妈的钱买衣服不好，可是一跟同学出去逛街，就冲动想买了。（189字）

（二）消费方式：帮下一代买房

现在中国很多中老年人帮他们的子女买房子。交钱的时候，他们紧张地拿着钱包，生怕里面的人民币飞了。一个老人说："忙了这么多年，终于给儿子挣够了几十万元的买房钱。"老人们平时的花销很少，去得最多的地方就是菜市场和小超市，一件衣服也可以穿好多年。很多老人几十年的积蓄，就为了购房的这一刻。他们常说："钱不给儿女花，还能用到什么地方呢？"（164字）

（三）消费方式：职场充电

我一直在参加英语培训班学习英语，想提高自己的英语水平，因为我们公司是一家外贸公司，常常给国外的公司打电话。公司的很多同事都在提高外语水平，如果我不好好儿学习英语，很可能被淘汰，所以我也要在英语培训方面多花点钱。虽然每次用在英语培训上的花销很大，可是我觉得只要有进步、有收获，还是值得的。（143字）

答案

(1) ×　(2) √　(3) √　(4) ×　(5) ×　(6) √　(7) √　(8) √　(9) ×　(10) ×

第7单元　中国功夫 🎧7-01

（一）

来自澳大利亚的老人米歇尔，正在上海学太极拳。老人见人就说自己最喜欢打太极拳。她说："西方的运动很多都比较剧烈，不适合老年人。中国的太极拳，动作柔和缓慢，非常适合老年人，我们都很喜欢。而且在西方，子女一般都不在身边，老人常常会觉得生活没意思，大家一起打打太极拳，聊聊天儿，心情就好起来了。"（144字）

（二）

我叫马超，今年24岁，是德国人。我爱好中国功夫，看过很多成龙的功夫电影，其中我特别喜欢看的是《醉拳》。电影里成龙一边喝酒一边打醉拳，他喝得越多，打得越厉害，别提多有意思了。在家我常常看他的电影，一边喝着啤酒，一边模仿着他的动作，学习醉拳。几个月后，醉拳没学会，可啤酒却喝得越来越厉害了。（142字）

（三）

15岁的韩国学生金海八岁的时候跟着父母来到了中国，他从小就对中国功夫很痴迷，李连杰是他最崇拜的人，他也想成为像李连杰那样的功夫电影明星。现在他已经在中国学习了七年武术，每年只有过年的时候才回韩国几天。虽然每天得练习六七个小时，练得手也疼、脚也疼，生活又累又辛苦，但是他相信有一天自己也一定会成功。（146字）

答案

(1) ×　(2) √　(3) ×　(4) √　(5) √　(6) ×　(7) ×　(8) √　(9) ×　(10) √

第8单元　汉字趣话 🎧8-01

（一）

张兰在法国留学，2008年她回北京看奥运会。看完奥运会，回法国之前，她让妈妈陪她逛街给法国朋友买几件带汉字的T恤。这样的T恤不多见，尤其是写着"北京欢迎你"这几个字的T恤，她们逛了好长时间才买到。妈妈埋怨张兰为什么非要买带汉字的T恤。她说汉字在法国特别流行，谁要是穿一件带汉字的衣服，别人会非常羡慕的。（148字）

（二）

在国外，人们对中国文化越来越感兴趣，出现了"中国热"，特别是在运动员中，很多运动员把喜欢的汉字作为自己的文身，像网球明星萨芬身上就文着"猴"这个字。他们可能知道那些汉字的大概意思，却不一定知道它们的真正含义。在外国人眼中，汉字就跟画儿一样，但是如果不了解汉字，有时是会闹出笑话的。（140字）

（三）

汉字对中国周边国家的文化产生过很大影响。近年来，在这些国家又开始出现新一轮"汉字热"。虽然这些国家现在有的已经不怎么用汉字了，但是汉字在当地社会和风俗中还很重要。比如在越南，人们结婚的时候，一定会贴上双喜字，过年也有贴汉字春联的习惯。在日本，汉字就更常见了。跟别的国家不同，日语现在还用汉字，常用汉字差不多有2000个。在日本还有汉字考试呢。（168字）

答案

(1) ×　(2) ×　(3) √　(4) ×　(5) ×　(6) √　(7) ×　(8) √　(9) √　(10) √

第9单元　美味饮食 🎧9-01

（一）烹饪

我是学汉语的学生马丁，我们常常跟中国老师一起吃饺子，做中国菜。虽然我很喜欢中国菜，但是还不太会做。做中国菜要用的很多东西我都不认识，做菜的程序也很复杂，还有很多烹饪方法，比如蒸、煮、烤、炸、炒等。平时自己在家的时候，一点儿也不想动手做。不过有些菜真的很好吃，而且还很漂亮。（136字）

（二）菜系

中国人爱吃，也很会吃。每个地方都有各式各样的菜。在中国有八种主要的菜系，每个菜系之间非常不一样，每个菜系里都有很多不同的菜肴。这些菜系中山东菜、四川菜、广东菜和江苏菜这四个最有名。它们的味道和主要的烹饪方法都不一样。其中四川菜最辣，也最便宜，所以喜欢吃四川菜的中国人最多，走到哪里都可以看到四川菜饭馆。（150字）

（三）用餐方式

英国人去饭馆吃饭，会自己点自己的，菜上桌的时候就已经给每个人都分好了。但是中国人不同，他们吃饭时把食物都放在一起，大家自己夹自己要吃的菜。当然，在英国，菜的分量大一些，每个人只要点一个菜就够了。在中国，可能因为大家习惯一起分享食物，每个菜的分量也比较小，一顿饭要点好几个菜。（136字）

答案

(1) × (2) × (3) × (4) √ (5) √ (6) × (7) √ (8) √ (9) × (10) √

第10单元 独生子女 🎧10-01

（一）

　　我叫刘芳，29岁时生的儿子笑笑，他是我们的独生子，今年两岁。根据国家规定，少数民族可以生两个孩子。我们虽然符合条件，能生两个，但很高兴只生了笑笑。有了他就有了所有的快乐和幸福，我们愿意为他付出一切，好好照顾他。可是照顾孩子要花很多时间，如果有了更多的孩子，我们一定会忙不过来的。（137字）

（二）

　　我姓吴，是大学老师。我和老公都是独生子女，从来没享受过有兄弟姐妹的那种乐趣，没有一个同龄人一起长大，有时候会觉得很孤单，所以希望儿子不会像我们一样孤单，我们想再生一个！不只是我这么想，周围很多独生子女夫妇，都希望能多生几个。（111字）

（三）

　　我跟老婆结婚一年多，现在有一个女儿。我从来不担心孩子会孤单，因为我自己也是独生子女，从小到大都有不少朋友。只要性格开朗活泼，不会没有朋友的。现在养孩子的成本很大，一个孩子的话，父母付出的是全部的爱，可以让她上最好的学校，穿最好看的衣服，吃最好吃的东西。如果有两个孩子，父母可能就做不到了，所以还是一个孩子好。不过我更担心独生子女长大以后，在照顾父母方面比较麻烦。一个孩子要照顾好几个大人，孩子的压力也太大了。（203字）

答案

(1) √ (2) √ (3) × (4) √ (5) × (6) √ (7) × (8) √ (9) √ (10) ×

第11单元 戏剧文化 🎧11-01

（一）

　　很多欧美人认为，中国的京剧很像西方的歌剧，都比较注重唱。但是在很多方面，京剧跟歌剧是不一样的。京剧里有很多角色，比如老头儿、老太太、青年人、中年人，还有性格不同的男人、结婚的和没结婚的女人等等。不同特点的角色，各有自己的演唱方法、表演方式和服装，这就是京剧跟歌剧最大的不同。（135字）

（二）

大龙来中国还不到两年，就已经成了一个京剧迷了 。记得他第一次看戏时，还什么都看不懂。虽然听到的演唱和音乐也很奇怪，但是他觉得京剧的服装、脸谱很独特，武打表演也特别精彩，就像中国的功夫片。他说各国虽然有不同的传统文化，但艺术是相通的，尤其武打这种独特的戏剧语言就更容易被全世界的人接受。（141字）

（三）

对于"老外"来说，京剧既有意思又很神秘，是中国传统文化的代表。一次我去看戏，身边有两位外国朋友，看得特别认真。其中一个外国人，一边看着表演，一边学着演员的动作。看他们看懂了，我觉得很高兴，好像这戏是我演的。但是事实上，大部分老外看京剧，看的就是个热闹。如果他不懂中文，理解不了演员唱的是什么，很快就会觉得枯燥，看不下去了。（161字）

答案

(1) √ (2) √ (3) × (4) √ (5) × (6) √ (7) × (8) √ (9) × (10) ×

第12单元 爱心传递 🎧12-01

（一）慈善是一种习惯

做慈善并不一定要等变得富有了才去做。慈善其实是一种习惯，即使是普通人也可以做。有一位89岁的老人，他17年来没吃过几次肉，没买过一件新衣服，甚至过年连一顿饺子都舍不得吃。可正是这位老人，在整整17年里，慷慨地把所有钱都捐献给了全国各地没有钱上学的孩子。老人只是一个普通人，但他却是最富有爱心的普通人。（146字）

（二）捐献衣服

你还在为怎么处理旧衣服而心烦吗？这些衣服留着没地方放，扔了可惜，送亲戚朋友又送不出手。可是你知道吗？现在还有不少人每年都在为生活而烦恼：孩子上不起学，老人看不起病，衣服破旧了买不起新的。我们也许没有很高的收入和存款，但我们可以把不需要的衣服送给那些需要的人。希望大家都行动起来，用我们的爱心给这些旧衣服增添新的光彩，帮助需要的人。（165字）

（三）志愿者

张东在一家外贸公司工作，跟所有人一样，周一到周五过着朝九晚五的上班生活。不同的是每天晚上他都会上网跟其他志愿者们商量怎么准备周末帮助老人的志愿活动。现在像张东这样的志愿者越来越多了，他们常常在自己的休息时间去参加志愿活动，帮助别人。对他们来说，时间、成本、辛苦、回报这些都不重要，因为他们相信他们可以改变世界，让世界更美好，同时，也让自己更美好。（173字）

答案

(1) × (2) × (3) × (4) √ (5) √ (6) × (7) × (8) √ (9) × (10) √